Planetino

Deutsch für Kinder

Arbeitsbuch

Gabriele Kopp
Josef Alberti
Siegfried Büttner

Magnus
Forbes

Hueber Verlag

Arbeitsanweisungen in Planetino

Diese Aufgaben findest du oft im Buch. Wenn du sie nicht gleich verstehst, kannst du hier nachsehen. Die Bilder erklären sie dir.

 Schneid aus und kleb ein.

 Lies.

 Schreib.

 Mal an.

Mach Kreuzchen.

 Verbinde.

Mach Pfeile.

 Unterstreich.

Quellenverzeichnis

8. 7. 6.   Die letzten Ziffern
2023 22 21 20 19   bezeichnen Zahl und Jahr des Druckes.
Alle Drucke dieser Auflage können, da unverändert, nebeneinander benutzt werden.
1. Auflage
© 2011 Hueber Verlag GmbH & Co. KG, 85737 Ismaning, Deutschland
Redaktion: Kathrin Kiesele, Hueber Verlag, Ismaning, Maria Koettgen, München
Grundlayout: Lea-Sophie Bischoff, Hueber Verlag, Ismaning
Layout und Satz: Sieveking · Agentur für Kommunikation, München
Druck und Bindung: Firmengruppe APPL, aprinta druck GmbH, Wemding
Printed in Germany
ISBN 978-3-19-311579-9

Art. 530_14770_001_06

Inhalt

Vorwort

Liebe Schülerin, lieber Schüler,

das ist Dein Arbeitsbuch. Hier kannst Du üben, was Du im Kursbuch gelernt hast. Du findest die **fünf Module** aus dem Kursbuch wieder.

Außerdem gibt es **Übungen zur Theaterlektion** und am Schluss mehrere **Lesetexte** mit **Lesetipps**. Die zeigen Dir, wie Du die Texte leichter verstehst. Du bekommst auch Tipps, die Dir beim Lernen helfen. Diese **Lerntipps** kannst Du Dir selbst erarbeiten, indem Du die richtige Lösung ankreuzt.

Lesen

Am Ende des Arbeitsbuchs findest Du drei Blätter für Dein **Portfolio** mit Übungen zur **Vergangenheitsform** und zu **trennbaren Verben**.

Portfolio

Am **Anfang jedes Moduls** gibt es eine Seite, auf der Du aufschreiben kannst, was Du zu dem Thema schon weißt. Die Bilder und Wörter helfen Dir dabei.

Die Seite **„Das bin ich"** wächst mit Dir. Je mehr Du gelernt hast, desto mehr kannst Du dort eintragen.

Die Übungen

➲ 3 - 4   Die Nummer sagt Dir, zu welcher Übung im Kursbuch diese Übung passt.

Manche Übungen sind leichter und manche schwerer. Leichte Übungen haben kein Zeichen. Diese Übungen kannst Du sicher ohne Hilfe lösen.

Differenzierung

 Diese Übungen sind mittelschwer. Vielleicht schaffst Du diese Übungen allein, vielleicht brauchst Du ein wenig Hilfe.

 Diese Übungen sind ziemlich schwer. Aber vielleicht kannst Du schon so gut Deutsch, dass Du diese Übungen allein lösen kannst? Wenn nicht, dann lass Dir helfen.

Manche Übungen bestehen aus zwei Teilen. Du kannst versuchen, die Übungen allein zu machen. Wenn sie zu schwer sind, findest Du im zweiten Teil Hilfe.

Manche Übungen kannst Du selbst leichter oder schwerer machen. Das sind die Übungen „Schneid aus und kleb ein oder schreib". „Schneiden und Kleben" ist leichter, denn Du musst nicht selbst schreiben. Außerdem kannst Du die Kärtchen so lange schieben, bis alles richtig ist.
Beim Schreiben hast Du zwei Möglichkeiten:
• Du schreibst auswendig, wenn Du aus dem Text verstehst, was da hineingehört.
• Du liest zuerst in den Schneideseiten (ab S. 111), was Du hineinschreiben sollst.

 Übungen mit diesem Zeichen kannst Du alleine lösen und selbst kontrollieren, ob Du alles richtig gemacht hast.

selbstständiges Lernen

Puzzle Hier musst Du Dich bei jeder Aufgabe für eine von drei Möglichkeiten entscheiden. Daneben steht eine Zahl. Such in den Seiten „Material zum Schneiden und Kleben" das Puzzle-Teil mit der gleichen Zahl, schneid es aus und leg es auf das passende Feld unten im Raster. Wenn Du alle Lösungen richtig hast, entsteht ein Bild.

Bilderlotto Schneid die Bilder zum Lotto aus („Material zum Schneiden und Kleben") und leg sie auf das passende Wort. Wenn Du alles richtig gemacht hast, ergibt sich von Bild zu Bild eine durchgehende Linie. Ihr könnt auch Bilderlotto in der Gruppe spielen.

Lösungswort Bei diesen Übungen entsteht bei der richtigen Lösung ein Wort. Das gilt für Kreuzworträtsel und Übungen, bei denen Du die Lösung aussuchen oder passende Textteile finden musst.

Rechenrätsel Bei diesen Übungen musst Du die Zahlen der Lösungen in eine Rechnung eintragen und dann ausrechnen. Wenn das angegebene Ergebnis stimmt, hast Du alles richtig gemacht.

Labyrinth Hier entsteht ein Dialog. Bei jedem Schritt musst Du Dich zwischen zwei Aussagen entscheiden und so den Weg durch das Labyrinth finden. Wenn Du den richtigen Weg gefunden hast, kommst Du am Schluss bei einem Bild an.

Ausmalen Ein Bild ist in viele Felder eingeteilt. In jedem Feld stehen eine Zahl und ein Wort. Die Zahlen passen zu den Aufgaben oben. Für jede Aufgabe gibt es zwei Möglichkeiten. Du musst die passende Zahl im Bild suchen. Entscheide Dich dann für eine Lösung und mal dieses Feld aus. Wenn Du alle Lösungen richtig hast, entsteht ein Tier oder ein Gegenstand.

Nach den Übungen zum Modul wiederholst Du auf den Seiten **„Weißt du das noch?"** Sätze und Wörter aus früheren Modulen.   *Wiederholung*

In der **Wortliste** stehen alle Wörter, die Du in diesem Modul lernst.

Auf diese Zeile _____ schreibst Du *der*, *das* oder *die*.

Auf diese Zeile _ _ _ _ _ _ _ schreibst Du die Mehrzahl.

Am **Ende des Moduls** findest Du zwei Blätter für Dein **Portfolio**.   *Portfolio*
Auf den Seiten **„Das habe ich gelernt"** kannst Du testen, was Du noch weißt.   *Selbsteinschätzung*

Und so kannst Du das machen:

Schritt 1: Falte den Rand mit den Lösungen nach hinten, sodass Du die Lösungen nicht mehr sehen kannst.

Schritt 2: Schau die Bilder an, lies die Überschriften, zum Beispiel „einladen", und lies die Satzanfänge. Nun denk nach: „Was kann man da sagen? Weiß ich das?"
Du glaubst, Du weißt alles? Dann mach ein Kreuzchen bei ☺.
Du weißt manches, aber nicht alles? Dann mach ein Kreuzchen bei ☺.
Du glaubst, Du weißt gar nichts? Dann mach ein Kreuzchen bei ☹.

Schritt 3: Schreib in die Zeilen, was zu den Bildern passt.

Schritt 4: Falte die Lösung auf und vergleiche.

Schritt 5: Wenn Du wenig gewusst hast, dann ist das nicht so schlimm. Lies die Lösungen am Rand noch einmal durch und mach für heute Schluss. Probier das Ganze später noch einmal.

Im **Grammatik-Comic** kannst Du das Wichtigste aus dem Themenkreis wiederholen. Lern die Comics auswendig!

Und nun viel Spaß und viel Erfolg mit Deinem Arbeitsbuch.
Das wünschen Dir
                    die Autoren

Das bin ich

Ich heiße _____

Ich bin _____ Jahre alt.

Meine Lieblingsjahreszeit ist _____

_____

Ich gehe gern _____

_____

Am Wochenende _____

_____

_____

_____

(Hier kannst du ein Foto von dir einkleben oder ein Bild von dir malen.)

Mein Lieblingshobby ist _____

_____

In den Ferien _____

_____

_____

Ich trage am liebsten: _____

_____

Ich esse am liebsten: _____

_____

Meine Lieblingssendung im Fernsehen: _____

_____

_____

Ich möchte einmal _____

_____

_____

Dieses Fest feiere ich am liebsten: _____

_____

_____

Freizeit

Du kennst schon viele deutsche Wörter und Sätze.

einladen

Ich möchte _____

Ich mache eine Party.

_____?

ablehnen

Tut _____

Ich _____ leider _____

Ich muss _____

sagen, was man gern macht

Ich _____ gern _____

Spielst du _____?

Nein, _____.

sich vorstellen

Ich _____

_____

Mein Hobby _____

Uhrzeit

Wie spät _____?

_____

Um _____ haben wir Sport?

_____

Freizeitorte

_____

_____

_____

Hobbys

_____

_____

_____

_____

9

Lektion 41
Das Preisausschreiben

K **1** *Bilderlotto*

🔁 1 – 2 Schneid aus (Seite 111) und leg auf.

Spielplatz	Schwimmbad	Musikschule
Skatepark	Stadion	Turnhalle
Sportplatz	Popkonzert	Ballettschule
Zoo	Kino	Reithalle

K **2 Was passt zusammen?**

🔁 1 – 2 **a)** Verbinde die Sätze.

1 Lukas spielt gern Tennis.	**U** Er geht in den Skatepark.
2 Meike mag Tiere gern.	**K** Sie geht ins Kino.
3 Uli möchte ein Eis.	**Z** Er geht auf den Tennisplatz.
4 Tina sieht gern Filme.	**S** Sie geht in die Musikschule.
5 Max fährt ganz toll Skateboard.	**R** Er geht ins Eiscafé.
6 Sofia lernt Gitarre.	**I** Sie geht in den Zoo.

Lösung: Eva geht in den ___ ___ ___ ___ ___ ___
                                         1   2   3   4   5   6

b) Schreib die passenden Sätze in dein Heft.

3 Wohin gehen die Kinder?

🔁 2 – 3 Schreib die Wörter richtig.

1 Josef kann gut schwimmen. Er geht ins _____. (a b c d h i m m S w)

2 Jana tanzt gern. Sie geht in die _____. (a B c e e h l l l s t t u)

3 Pedro möchte Fußball spielen. Er geht auf den _____. (a l o p p r S t t z)

4 Laura möchte ein Fußballspiel sehen. Sie geht ins _____. (a d i o n S t)

5 Tina und Lara haben heute Sport. Sie gehen in die _____. (a e h l l n r T u)

4 Am Nachmittag

2 – 3 Ergänze: in den • ins • in die • auf den

Lena geht _____ Stadt. Aber Alex geht _____ Spielplatz.

Hakan geht _____ Zirkus. Aber Nadine geht _____ Eiscafé.

5 Wohin geht Emma?

3 **a)** Emma macht viel in der Freizeit. Hier ist Emmas Wochenplan.
Wohin geht sie? Schreib Sätze.

1 <u>Am Montag geht Emma in die</u> _____

2 <u>Am</u> _____ <u>sie in</u> _____

3 _____

4 _____

5 _____

6 _____

7 _____

Mo	reiten
Di	Gitarre
Mi	schwimmen
Do	Tennis
Fr	Skateboard
Sa	Popkonzert mit Laura
So	Zoo mit Oma

b) Schreib Fragen für deinen Partner: Wohin geht Emma am …?
Tauscht die Blätter und schreibt die Antwort: In den / Auf …

K 6 O je, wie doof!

1 – 4 Jakob wartet auf Alex. Er liest ein Buch. „Dring, dring!" „Das ist Alex",
denkt Jakob. „Hallo, Alex!", sagt er. „Komm rein! Die Tür (1)." Aber Alex
kommt nicht. „Alex, sei nicht (2)! Komm rein!", ruft Jakob. Nichts! Jakob
wird sauer. „He, Alex! Was (3) denn? Hast du ein (4)?" Wieder nichts. Jakob geht an die
Tür. Da steht ein Mann mit Mütze. Er fragt: „Bist du Jakob Jensen?" Jakob sagt kein (5).
Er denkt nur: „O je, wie doof!" Der Mann sagt freundlich: „Hier ist eine (6) für dich."
„Eine Postkarte? Wer (7) mir denn eine Postkarte?", fragt Jakob. „Ach so, meine Oma."
„Also, Jakob", sagt der Mann, „auf Wiedersehen." „Danke und auf Wiedersehen", sagt
Jakob, „und … tut mir leid."

a) Jede Zahl im Text ist ein Wort. Hier sind die Wörter. Schreib die Zahlen.

Rechenrätsel: ___ ist auf   + ___ blöd   + ___ Problem   + ___ Wort   = **12**

___ Postkarte   + ___ schickt   + ___ gibt's   = **16**

b) Schreib die Geschichte richtig in dein Heft.

K **7** *Fragen und Antworten*

5–6 **a)** Wohin gehören die Fragewörter?
Nimm jedes Fragewort nur einmal. Schreib die Zahlen unten auf.

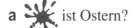
1 Um wie viel Uhr • **2** Wann • **3** Wohin • **4** Wer • **5** Wie • **6** Was

a ✳ ist Ostern?   d ✳ fängt der Sportunterricht an?

b ✳ gehst du denn?   e ✳ ist Herr Müller?

c ✳ machst du morgen?   f ✳ heißt dein Bruder?

Rechenrätsel: _2_ + ___ + ___ − ___ − ___ − ___ = 1
             a   **b**   **c**   **d**   **e**   **f**

b) Hier sind die Antworten. Ordne die Antworten den Fragen zu.

S Mein Sportlehrer.   *A* Um drei Uhr.   *L* Im April.

U Ins Kino.   *K* Ich muss lernen.

Lösung: Mein Bruder heißt ___ ___ ___ ___ ___.
                          a   **b**   **c**   **d**   **e**

c) Schreib die Fragen und Antworten in dein Heft.

8 *Purzelsätze*

7–8 Schreib die Sätze richtig.

1 _____
um halb elf – Am Sonntag – Anna – geht – auf den Sportplatz

2 _____
ich – gehe – in die Turnhalle – Am Mittwoch – um fünf

3 _____
wir – um zwei – Am Samstag – in den Zoo – gehen

4 _____
Am Dienstag – gehst – um halb fünf – ins Kino – du

9 *Bilderrätsel*

7–8 Jedes Bild ergibt einen Satz. Schreib die Sätze in dein Heft.

Schreib so: Am Freitag um ...

1 Wortsuchrätsel: Neue Wörter

a) Finde sieben Wörter.

R	G	E	N	A	U	B	S	L
G	E	W	O	N	N	E	N	A
G	L	Ü	C	K	L	I	C	H
E	P	U	H	O	T	D	O	G
P	L	A	T	Z	X	E	Q	K

b) Wohin gehören die Wörter aus dem Rätsel? Schreib die Sätze in dein Heft

Hast du Hunger? Möchtest du einen (1)?

Bitte, ist hier (2) frei? Tut mir leid, der (3) ist nicht mehr frei.

Stell dir vor, Olaf hat einen Computer (4) und Rita auch. – Wirklich (5)? – Ja, das weiß ich ganz (6). Sie sind so (7)!

K 2 Was passt zusammen?

a) Ordne die Antworten den Fragen zu. Schreib die Zahlen.

a Wohin seid ihr am Sonntag gegangen?

b Warum hast du den Hotdog nicht gegessen?

c Wer hat das Spiel am Samstag gesehen?

d Um wie viel Uhr ist dein Freund gekommen?

e Was hast du getrunken?

f Wie habt ihr gespielt?

g Wann hast du das Mädchen kennengelernt?

h Was hast du zum Geburtstag bekommen?

1 Ich habe keinen Hunger.

2 Um drei.

3 Am Wochenende.

4 In den Zirkus.

5 Wir haben gewonnen.

6 Wir beide. Wir sind ins Stadion gegangen.

7 Ein Skateboard.

8 Saft.

Rechenrätsel: ___ – ___ + ___ – ___ + ___ – ___ + ___ + ___ = 20

          a   b   c   d   e   f   g   h

Lerntipp zum Ankreuzen

Wohin gehören die Satzteile *gewonnen, gegangen* usw.?
___ An die erste Stelle (an den Anfang).
___ An die letzte Stelle (ans Ende).

b) Schreib die passenden Fragen und Antworten in dein Heft.

3 Purzelsätze

a) Schreib die Sätze richtig.

Und? _____

~~Und?~~ gesehen – schon – du – Hast – Lena

_____

ist – Meine Kusine Lena – um drei Uhr – gekommen

_____

Nein, ich – gegangen – in die Schule – doch schon – bin – um zwei Uhr

Schade!

b) Ordne die Sätze. Dann hast du eine kleine Geschichte. Schreib die Zahlen von 1–4 davor. Schreib die Geschichte in dein Heft.

4 haben oder sein?

2–3

a) Was gehört zusammen? Mach Kreuzchen in der Tabelle.

	ich habe	ich bin	du hast	du bist	er/sie hat	er/sie ist	wir haben	wir sind	ihr habt	ihr seid	sie haben	sie sind
getrunken	✗		✗									
gegangen		✗										
gegessen												
bekommen												
gespielt												
gekommen												
geklettert												
gesehen												
gewonnen												
kennengelernt												

b) Schreib zehn Sätze in dein Heft. Verwende diese Wörter:

Baum • Pizza • Saft • Spiel • Stadion • Zoo • Fußball • Hund • Eis • Mädchen

Beispiel: Ich bin auf den Baum ...

c) Schreib noch fünf Sätze. Finde die Wörter selbst.

Lerntipp zum Ankreuzen

___ du hast gegangen
___ du bist gegangen
⚠ bei gegangen, gefahren, gekommen, ...:
ich bin ..., du bist ...

K ### 5 So oder so?

2–3

a) Lies die Sätze. Such die passenden Wörter unten. Mal die Felder aus. Wenn du die richtigen Wörter gefunden hast, kannst du ein Bild sehen.

Ich (1) die Hausaufgabe vergessen.

Wann (2) ihr denn nach Hause gekommen?

(3) du die Zeitung schon gelesen?

Die Schüler (4) eine Klassenarbeit geschrieben.

Wir (5) am Wochenende zu Oma gefahren.

O je! Mein Wellensittich (6) weggeflogen.

Der Clown war lustig. Wir (7) so gelacht.

Ich (8) heute sehr schnell gelaufen.

Der Film (9) schon angefangen.

(10) du gestern Rad gefahren?

Meine Eltern (11) spazieren gegangen.

(12) ihr die Tiere schon gefüttert?

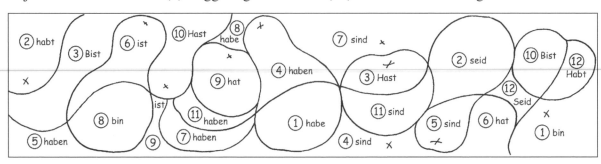

b) Schreib die Sätze richtig in dein Heft.

6 Früher und heute

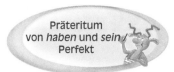

Präteritum von *haben* und *sein* / Perfekt

Ergänze die Sätze rechts.

1 Am Mittag hatten wir Hunger.　　Jetzt _____ _____ keinen Hunger mehr.

2 Am Wochenende waren wir bei Opa.　　Heute _____ _____ bei Tante Ida.

3 Ich hatte immer eine Vier in Deutsch.　　Jetzt _____ _____ eine Zwei.

4 Ich war sechs Tage krank.　　Jetzt _____ _____ wieder _____.

5 Mein Freund hatte immer Mäuse.　　Jetzt _____ _____ eine Katze.

6 Mein Hund war weg.　　Aber jetzt _____ _____ wieder _____.

7 Zwei Stühle waren kaputt.　　Jetzt _____ _____ _____ ganz.

8 Am Montag hatten die Schüler Sport.　　Heute _____ _____ Kunst.

7 Was für ein Tag!

Heute ist Freitag, der 13. Es ist halb acht. Davids Eltern sind schon weg. David ist spät dran.
Er hat Hunger, aber er hat keine Zeit! Also kein Frühstück! Wo ist denn nur die Sporttasche?
Sie haben zwei Stunden Sport. Aber die Sporttasche ist nicht da. Egal! Dann ist auch noch
Davids Fahrrad kaputt. Kein Fahrrad! Also los!
Endlich ist David in der Schule. Es ist schon 20 nach acht. In der ersten Stunde haben sie
Mathe. Wo sind Davids Hausaufgaben? David hat die Hausaufgaben nicht dabei. O je!
Aber der Lehrer ist nett. Zum Glück!

David schreibt seinem Freund Max eine E-Mail.
Er erzählt, was am Freitag,
dem 13., passiert ist.
Schreib die E-Mail. Schreib so:

Von: david@planetino_drei.de
An: max@planetino_drei.de

Lieber Max,
es war Freitag … Es war … Meine Eltern waren … Ich …

8 Kleine Geschichten

a) Finde drei Dialoge. Jeder Dialog hat drei Teile.
Schreib A, B und C vor die passenden Teile.

A Guten Tag, Frau Müller.
Ich möchte Jan abholen.

Meine Katze ist auf den Baum geklettert
und kommt nicht mehr runter.

Ach so.

Was ist denn passiert?

B O je! O je!

Danke. Jetzt musst du noch bezahlen.

C Hier, dein Eis.

Tut mir leid. Eva hat Jan schon abgeholt.

Ich habe schon bezahlt.

b) Schreib die Dialoge in dein Heft.

1 Wortsterne: Hobbys

➲ 1 **a)** Ergänze die Wortsterne mit diesen Wörtern:

> Eishockey • Tiere • Radio • Briefmarken • Musik • Schach • Postkarten • Figuren •
> Familie • Klavier • Schlagzeug • Blumen • Poster • Freunde • CDs

_____ spielen _____   _____ sammeln _____

_____ fotografieren _____   _____ hören _____

b) Schreib Sätze in dein Heft. Schreib so: Ich höre gern … oder Ich möchte gern … spielen. oder Mein Freund sammelt …

K ### 2 Schüler-Forum Wintersport

➲ 1 **a)** Die Schüler haben viele Fehler gemacht. Schreib die Zahlen zu den richtigen Wörtern unten.

> 💬 Ich habe in den Grtorn (1) einen Schikurs gemacht, in Axams.
> Das ist bei Innsbruck, in Ädzrttruxj (2). Das war super! **Micky** ☺☺☺
> 💬 Ich war in der Dxgqrou (3). Das war auch toll. Schi fahren ist mein Kuwvkumhdjpvvx (4). **Wuffy**.
> 💬 Ich kann noch nicht Schi fahren. Bei uns zu Hause fährt leider muwnsbf (5) Schi. ☺ Aber curööroxjz (6) mache ich in
> den Ferien einen Lztd (7). ☺ **Trixi**
> 💬 Sport ist so wichtig! Ich finde, nsb (8) muss imvrfomhz (9) Schi fahren, und natürlich Eishockey
> spielen, Schlittschuh laufen usw. **Dago**
> 💬 Ich war Schifahren. Da war ein Baum. Mein Bruder hat noch ksiz (10) „Pass auf!" gerufen. Aber ich bin
> an den Baum gefahren. Zum Föpvj (11) ist nichts passiert. **Kosmo**

Rechenrätsel:					
	___ Kurs		___ Österreich	+ ___	unbedingt
+ ___	Ferien	+ ___	Schweiz	+ ___	vielleicht
+ ___	Lieblingshobby	+ ___	laut	+ ___	niemand
+ ___	Glück	+ ___	man		
	_____		_____		_____
	23		**23**		**20**

 b) Wie findest du Schi fahren? Bist du schon einmal Schi gefahren? Schreib einen kleinen Text für das Forum in dein Heft.

3 Wie spät ist es?

a) Was ist gleich? Verbinde.

2.00	7 Uhr am Morgen	12.45	Viertel nach neun
19.00	7 Uhr am Abend	9.15	zehn vor elf
7.00	2 Uhr am Nachmittag	20.30	Viertel vor eins
14.00	2 Uhr in der Nacht	22.50	halb neun

b) So steht es in der Zeitung:

| **CINEMA** Asterix in Rom 15.30 Uhr | **ZIRKUS TAMBURELLI** 18.00 Uhr | **Kindertheater** Pippi Langstrumpf 14.00 Uhr | KAKI-TV Tier-Quiz 16.15 Uhr |

Wie sagst du das? Schreib Sätze in dein Heft. Schreib so: Der Zirkus / Der Film /
Das Quiz / Das Theater beginnt um halb … / läuft um … / ist um … / fängt um … an

4 Gitarrenunterricht

Hallo!
Ich heiße Mario Schwarz.
Ich bin elf. Ich wohne in Innsbruck,
in der Bahnhofstraße 26. Meine
Telefonnummer ist 352789. Musik
ist mein Hobby. Ich spiele Klavier
und möchte jetzt noch Gitarre lernen.

Musikschule Singsang
Anmeldung: Gitarrenunterricht
Familienname: _____
Vorname: _____
Adresse
Wohnort: _____
Straße: _____ Hausnummer: _____
Telefonnummer: _____
Warum möchtest du Gitarre lernen?
_____

a) Füll das Formular für Mario aus.
b) Schreib das Anmeldungsformular
in dein Heft. Füll das Formular für dich selbst aus.

5 Kurz oder lang?

Den Laut vor -ss spricht man kurz. Den Laut vor -ß spricht man lang.
Lies die Wörter laut und schreib sie dann an die richtige Stelle in den Rätseln:

Adresse • Fuß • Tasse • heißen • bisschen • passieren • Straße • essen • Spaß • Grüße

kurz

| | a | | | |

lang

| | | |

 K

6 *Was passt zusammen?*

5-6 **a)** Ordne die Antworten den Fragen zu. Schreib die Zahlen.

a	Hast du ein Blatt Papier?	**1**	Quiz-Sendungen, vor allem das Tier-Quiz.
b	Woher hast du die Information?	**2**	Ja, das ist mein Lieblingshobby.
c	Welches Hobby hat dein Freund?	**3**	Hier hast du einen Block.
d	Machst du gern Rätsel?	**4**	Die Zeitung hat das geschrieben.
e	Was siehst du gern im Fernsehen?	**5**	Sachen sammeln, vor allem Poster.

b) Schreib die passenden Fragen und Antworten in dein Heft.

Rechenrätsel:

$$\underset{a}{\underline{\quad}} + \underset{b}{\underline{\quad}} - \underset{c}{\underline{\quad}} + \underset{d}{\underline{\quad}} + \underset{e}{\underline{\quad}} = 5$$

7 *Rezept: Obstsalat*

5-6 Lies das Rezept. Ordne die Bilder. Schreib die Zahlen.

1 Man schneidet das Obst in kleine Stücke. **3** Man gibt Orangensaft und Honig dazu.

2 Dann gibt man das Obst in eine Schüssel. **4** Zum Schluss mischt man das Ganze. Fertig!

8 *Verboten!*

5-6

a) Schreib Sätze in dein Heft:

1. Man muss das Handy ausmachen. 2. … ruhig sein. 3. – 6. Man darf … kein Eis … – …
keine Hunde mitbringen. – … nicht fotografieren. – … nicht schwimmen.

 b) Schreib auch so: 1. Hier muss/darf man …

9 *Die Jahreszeiten*

7 **a)** Schreib Sätze zu den Bildern in dein Heft. Verwende die Wörter:

Schi fahren • inlineskaten • schwimmen • Drachen fliegen lassen • Eis essen •
Eishockey spielen • Blätter sammeln • Radfahren

Schreib so: Im Frühling kann man inlineskaten und …

 b) Schreib deinem Partner Fragen auf: Welche Jahreszeit magst du am liebsten?
Welche Jahreszeit magst du lieber, … oder …?
Tauscht die Blätter und antwortet: Den … Da kann man …

Lektion 44
Brieffreund gesucht!

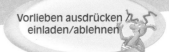
Vorlieben ausdrücken
einladen/ablehnen

1 Hugo und ich

1–2

Heute treffe ich meinen Hund Hugo. Er hat einen Freund, so wie ich. Wir gehen oft zusammen ins Kino, Hugo, ich und die beiden Hunde.

Hugo und ich, wir gehen auch manchmal spazieren. Am liebsten sehen wir Tierfilme. Oft sind wir auch bei Hugo im Internet. Er hat einen Computer. Dann surfen wir stundenlang zu Hause. Wir machen wirklich viel zusammen. Nur im Sport machen wir andere Sachen. Ich schwimme viel, denn ich mag Pferde gern. Ich gehe oft in die Reithalle. Hugo reitet lieber. Deshalb geht er immer ins Schwimmbad. Aber das macht nichts. Hugo ist mein …

So ein Quatsch! Schreib die Geschichte richtig in dein Heft.

2 Kleine Geschichten

2–3

a) Finde vier Dialoge. Jeder Dialog hat drei Teile. Schreib A, B, C und D vor die passenden Teile.

> **A** Was machst du denn im Winter?　　　　　　Ja, zu Tante Claudia.
>
> 　　　**B** Warum siehst du denn nicht fern?　　　Was? Bist du krank?
>
> **C** Gehst du gern ins Kino?　　**D** Fährst du im Sommer weg?
>
> 　　　Ich spiele lieber Eishockey.　　　　Ich finde Theater langweilig.
>
> Ich habe keine Lust.　　　Nein, lieber ins Theater.　　　Ich fahre Schi.
>
> 　　　Die wohnt doch in Italien. Super!

b) Schreib die Dialoge in dein Heft.

3 Ein Bilderbrief

2–3

Wismar, 23. September

Lieber Olaf,

am 〈Sa/So〉 kommt mein 👫 Lukas. Am Samstag gehen wir ins 🍕 . Da spielt Papas Mannschaft. Du weißt doch, mein Vater spielt ⚽ . Am Sonntag gehen wir auf den 🎾 . Lukas spielt sehr gut 🎾 . Ich spiele nicht so gut. Aber das macht nichts. Dann gehen wir ins 🏊 , und später ins 🍦 . Kommst Du mit?

Liebe Grüße, Deine Selma

a) Schreib den Brief in dein Heft. Zu schwer? Hier sind die Wörter:

Stadion • Eiscafé • Tennisplatz • Wochenende • Schwimmbad • Freund • Fußball • Tennis

b) Schreib Olafs Antwort:

Olaf kann nicht – muss fernsehen – ist sehr müde – kommt aber mit ins Eiscafé.

K **4** *Puzzle*

● 4 Schneid die Bildteile aus (S. 111), such die Zahl und leg das Teil auf
das richtige Feld unten.

unser/e, euer/eure

Jakob fragt Udo und Jens:			**a)**	Evi fragt Alina und Alex:			**d)**
Ist das	mein	Freund?	*1*	Kommt heute	eure	Tante?	*2*
	euer		*3*		deine		*3*
	unsere		*5*		euer		*4*

Tanja und Sonja fragen:			**b)**	Die Schwestern Vera und Lina sagen:		**e)**
Ist	mein	Sportlehrer nicht da?	*2*	Unser	Pony ist krank.	*5*
	eure		*4*	Meine		*6*
	unser		*6*	Unsere		*4*

Die Brüder Tim und Tom sagen:		**c)**	Selma und Maja sagen:			**f)**
Eure	Adresse ist Rosenstraße 8.	*3*	Das sind	unser	Freunde Jan und Kai.	*5*
Unsere		*4*		euer		*3*
Meine		*5*		unsere		*1*

a)	**d)**
b)	**e)**
c)	**f)**

5 *Wie ist das bei euch?*

● 4–5 **a)** Beantworte die Fragen. Mach Kreuzchen.   Ja   Nein

b) Schreib die Fragen in dein Heft.
Schreib die Antworten dazu.

Ist euer Klassenzimmer klein?

Ist euer Sportunterricht am Nachmittag?

Schreib so: Unsere Schule ist (nich

Hat eure Schule ein Schwimmbad?

groß. Unser Klassenzimmer ist …

Geben eure Lehrer viele Hausaufgaben?

● 4–5 **c)** Stell dir vor, du bist Planetino. Ein Reporter stellt dir Fragen.
Schreib diese und weitere Fragen in dein Heft und antworte darauf.

Wie sieht eure Schule aus? Wie ist euer Unterricht? Was macht ihr da?

Wie sind eure Klassen / eure Lehrer/Lehrerinnen?

1 Ja oder nein?

Schau die Bilder an und ergänze die Sätze. Setz ein:

einen/keinen • ein/kein • eine/keine • ---

1 Jakob sammelt ____keine____ Postkarten.

2 Lena hat _____ Hund.

3 _____ Papagei ist bunt.

4 Tina möchte _____ Kamera.

5 Das ist _____ Klavier.

6 Hier sind _____ Hotdogs.

7 Uli bekommt _____ Fußball.

8 Daniel hat _____ Uhr.

K   2 Was passt zusammen?

a) Ordne die Antworten den Fragen zu. Schreib die Zahlen.

a Kann ich mal den Bleistift haben?
b Sieh mal, das Kleid da. Schön, oder?
c Gibst du mir bitte die Schere?
d Wie findest du denn meine Schuhe?
e Woher hast du denn das Handy?
f Besuchst du deinen Opa jeden Tag?
g Sind die Ohrringe neu?
h Besuchst du heute deine Tante?

1 Nein, ich brauche sie noch.
2 Ich finde sie sehr schön.
3 Ja gern. Ich brauche ihn nicht.
4 Nein, ich besuche ihn nur am Wochenende.
5 Ja, ich habe sie zum Geburtstag bekommen.
6 Ich finde es ganz nett.
7 Ja, ich besuche sie immer am Dienstag.
8 Ich habe es von Opa bekommen.

Rechenrätsel: ___ + ___ + ___ − ___ + ___ + ___ − ___ + ___ = 22
                a   b   c   d   e   f   g   h

b) Schreib die passenden Fragen und Antworten in dein Heft.

3 Wortsterne: Mein Körper

a) Ergänze die Wortsterne. Schreib auch die Mehrzahl dazu, wenn nötig.

____Haare____   ____Hals____

Kopf   Körper

b) Erinnerst du dich an das Lied „Mein Kopf macht so und so"? Dann sing es.

Wortliste

_____ : Hier kannst du *der, das, die* eintragen.

_ _ _ _ _ _ : Hier kannst du die Mehrzahl eintragen.

Themenkreis
Freizeit
Kursbuch Seite 5
auf sein (= offen sein)
Problem, das, -e
Kein Problem.
blöd

Lektion 41:
Das Preisausschreiben
Kursbuch Seite 6–9
Wort, das, ¨er
schicken
Postkarte, die, -n
Wohin?
Spielplatz, der, ¨e
Skatepark, der, -s
Schwimmbad, _____, ¨er
Turnhalle, _____, -n
Kino, _____, -s
Ballettschule, _____, -n
Eiscafé, _____, -s
Musikschule, _____, -n
Tennisplatz, _____, ¨e
Stadion, _____, Stadien
Reithalle, _____, -n
Sportplatz, _____, ¨e
Popkonzert, _____, -e
auf
Was gibt's?

Lektion 42: Fußball
Kursbuch Seite 10–11
glücklich
beide
die beiden
Hotdog, der, _ _ _ _ _ _ _ _ _ _ _
Platz, der, ¨e (= Sitzplatz)
genau
passieren
abholen
bezahlen

Lektion 43: Meine Hobbys
Kursbuch Seite 12–15
Anzeige, die, _ _ _ _ _ _ _ _ _ _ _
Eis, das (Sg.)
  (hier: gefrorenes Wasser)
Eishockey, das (Sg.)
Kurs, der, _ _ _ _ _ _ _ _ _ _ _
Internet, das (Sg.)
Klavier, das, -e
Klavierunterricht, der (Sg.)
Schach, das (Sg.)
Radio, das, -s
sammeln
deutsch
und so weiter (usw.)
vielleicht
fotografieren
im Internet surfen
Österreich, - (Sg.)
Schweiz, die (Sg.)
Schlagzeug, das, -e
laut
unbedingt
niemand
man
offen
Familienname, der, -n
Vorname, der, -n
Hausnummer, die, -n

Telefonnummer, die, -n
Rätsel, das, -
Lieblingshobby, das, -s
Zeitung, die, -en
informieren
Thema, das, _ _ _ _ _ _ _ _ _ _ _
sondern
Information, die, _ _ _ _ _ _ _ _ _
vor allem
Winter, der, -
Papier, das (Sg.)
Jahreszeit, die, -en
Frühling, der, -e
Sommer, der, -
Herbst, der, -e

Lektion 44:
Brieffreund gesucht!
Kursbuch Seite 16–19
treffen
Freunde treffen
Hallo zusammen!
oft
euer/eure
unser/unsere

Das habe ich gelernt

einladen und ablehnen

Kommst	?	Kommst du mit?
Hast	?	Hast du Lust?
Tut	.	Tut mir leid.
Ich habe	.	Ich habe keine Zeit.

Vorlieben ausdrücken

Ich _____ gern _____ .   Ich spiele gern Fußball.

Ich _____ interessant.   Ich finde Schach interessant.

Ich spiele am _____   Ich spiele am liebsten
_____   Eishockey.

Mein _____   Mein Lieblingshobby ist
ist _____ .   Fotografieren.

sich vorstellen

Mein _____ ist _____ .   Mein Name ist Jana.

Ich bin _____ .   Ich bin elf Jahre alt.

Ich _____ in München.   Ich wohne in München.

Meine Adresse:

_____ : München   Stadt

_____ : Blumenstraße   Straße

_____ : 26   Nummer (Hausnummer)

_____ : 0163-843135   Telefonnummer

Ort angeben

Wohin geht Leo?

In den Zoo.

Wohin fährt Pia?

Auf den Tennisplatz.

_____ geht Leo?

_____ .

Wohin _____ Pia?

_____ .

☺ ☺ ☹

Freizeitorte

Zoo, Zirkus,
Tennisplatz, Sportplatz,
Spielplatz, Skatepark,
Theater, Kino,
Schwimmbad, Eiscafé,
Stadion, Popkonzert,
Turnhalle, Reithalle,
Ballettschule,
Musikschule

Zoo, _____

_____

_____

_____

_____

_____

_____

☺ ☺ ☹

Hobbys

Klavier spielen,
Schach spielen,
Eishockey spielen,
(im) Internet (surfen),
Radio hören,
fotografieren,
Briefmarken sammeln

Klavier spielen, _____

_____

_____

_____

_____

_____

☺ ☺ ☹

Jahreszeiten

Frühling, Sommer, Herbst,
Winter

Frühling, _____

_____

☺ ☺ ☹

Grammatik-Comic

1 Ergänze: Ich gehe ins • in die • in den

_____ Zirkus.	_____ Stadion.	_____ Reithalle.
_____ Skatepark.	_____ Eiscafé.	_____ Musikschule.

2 Schreib die gleichen Wörter wie oben an die richtige Stelle im Comic.

Ferien

Du kennst schon viele deutsche Wörter und Sätze.

Orte angeben

_____ geht ihr?

_____

_____

_____

einen Wunsch äußern

Ich _____ mir

zum Geburtstag _____ .

Und ich _____ eine Uhr.

Herkunft

Woher _____ ?

Aus Planetanien. _____

Kleidung

_____

_____

_____

_____

Zahlen

30   90   **20**
  10
40 60   80
100 50   **70**

_____

_____

_____

_____

Essen und Trinken

_____

_____

_____

_____

1 Kreuzworträtsel: Ferienziele

1 Löse das Kreuzworträtsel. Probier's zuerst allein.

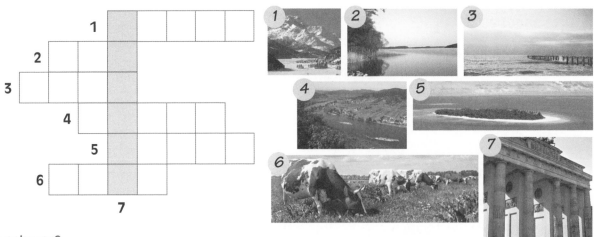

Zu schwer?

Die Wörter helfen dir: See • Insel • Berge • Fluss • Land • Meer • Berlin

2 Wohin?

1 Wohin sind sie gefahren? Schau die Bilder an und schreib die Sätze an die richtige Stelle. Zu schwer? Die Wörter von Übung 1 helfen dir.

1 _Sara_____ _____ an einen _See_ gefahren.

2 _____ ist aufs _____ gefahren.

3 _____ _____ in die _____ _____.

4 _____ _____ ans _____ _____.

5 _____ _____ auf eine _____ _____.

6 _____ _____ an einen _____ _____.

7 _____ _____ nach _____ _____.

8 _____ _____ zu _____ und _____ _____.

Lösung: Oma ist nach ___ ___ ___ ___ ___ ___ ___ ___ gefahren.
　　　　　　　　　　　　　　　1　2　3　4　5　6　7　8

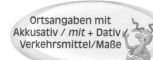

3 Miniklub

2–3 **a)** Lies das Programm des Miniklubs und ergänze dann die Sätze.

1 Teresa: Ich gehe an den __ __ __ __ __ __,

schwimmen und ein bisschen __ __ __ __ __ __.

2 Anna: Ich mache den „Supersportler":

ein __ __ __ __ __ __ __ __ __ __ Laufen, 100 __ __ __ __ __

Schwimmen und fünf __ __ __ __ __ __ __ __ __ __ Radfahren.

3 Jakob: Ich möchte __ __ __ __ __ __ __ __ __ __ __ Wasserschi

fahren und __ __ __ __ __ __ __ __ __ __ __ Volleyball spielen.

4 Fabian: Ich gehe an den Strand. Da ist ein __ __ __ __ __.

Da esse ich ein Eis und mache sonst nichts. Ich habe doch __ __ __ __ __ __!

> Informationen
> **MINIKLUB**
> Das Programm für heute
> vormittags
> Wassersport: Kurse in
> Wasserschi und Surfen
> Treffpunkt Strand, 10 Uhr
> nachmittags
> Tenniskurse, Basketball,
> Beach-Volleyball
> Treffpunkt jeweils 15.00 Uhr
> Tennisplatz, Spielplatz, Strand
> Supersportler
> 1 Kilometer Laufen,
> 100 Meter Schwimmen,
> 5 km Radfahren
> Treffpunkt 11 Uhr Kiosk

b) Anna hat den „Supersportler" geschafft. Sie ist so glücklich. Am Abend geht Anna ins Internet-Café und schreibt ihrer Freundin Elsa eine E-Mail.
Schreib die E-Mail in dein Heft. Schreib so:
Liebe Elsa, der Tag heute war …! Stell Dir vor, ich habe den „Supersportler" …
Da muss man … Ich bin … schnell … Ich habe alles gut … Ich bin so …

c) Jakob schickt seinem Freund Anton eine SMS und schreibt, was er heute gemacht hat.
Schreib die SMS in dein Heft.

4 So ein Quatsch!

3 Schreib die Sätze richtig in dein Heft.

1 Ich fahre mit dem Rad nach Amerika.
2 Ich fahre mit dem Schiff in die Berge.
3 Ich fahre mit dem Auto auf eine Insel.
4 Ich fliege mit dem Flugzeug aufs Land.
5 Ich fahre mit dem Zug ans Meer.

5 Die Personen fahren/fliegen mit …

3 **a)** Ordne die Personen den Fahrzeugen zu. Verbinde.

1	2	3	4	5
Rennfahrer	Kapitän	Pilot	Akrobat	Zugführer

b) Schreib Sätze in dein Heft: Der Rennfahrer fährt mit …   Der Kapitän …

mit dem	
Zug	

mit dem	
Schiff	Fahrrad
Auto	Flugzeug

29

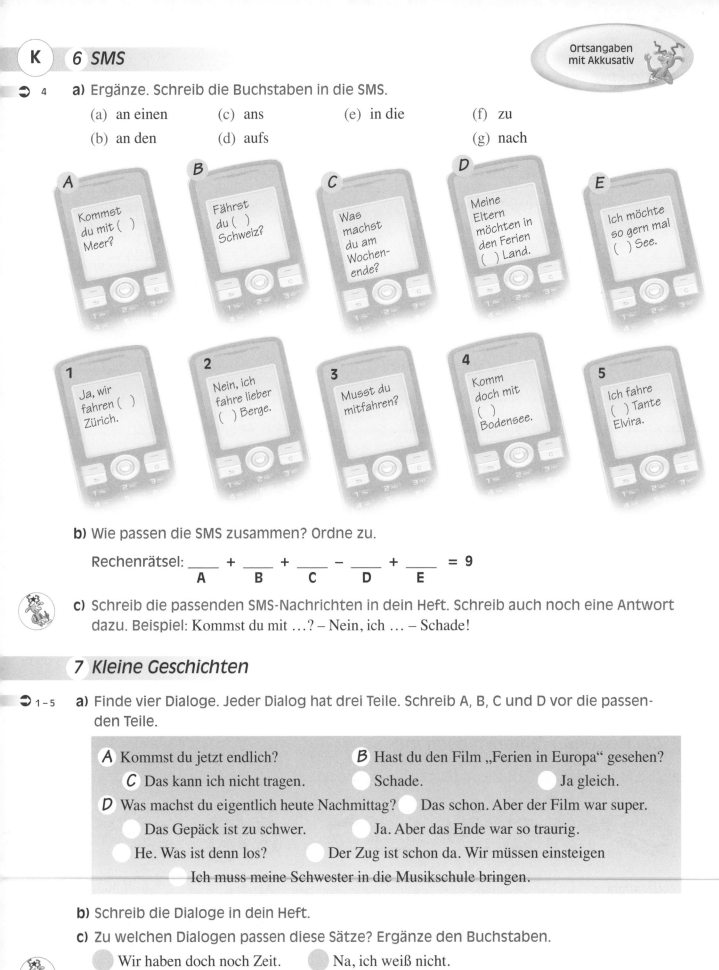

6 SMS

Ortsangaben
mit Akkusativ

○ 4   **a)** Ergänze. Schreib die Buchstaben in die SMS.

(a) an einen   (c) ans   (e) in die   (f) zu

(b) an den   (d) aufs   (g) nach

A
Kommst du mit ( ) Meer?

B
Fährst du ( ) Schweiz?

C
Was machst du am Wochen-ende?

D
Meine Eltern möchten in den Ferien ( ) Land.

E
Ich möchte so gern mal ( ) See.

1
Ja, wir fahren ( ) Zürich.

2
Nein, ich fahre lieber ( ) Berge.

3
Musst du mitfahren?

4
Komm doch mit ( ) Bodensee.

5
Ich fahre ( ) Tante Elvira.

b) Wie passen die SMS zusammen? Ordne zu.

Rechenrätsel: ____ + ____ + ____ − ____ + ____ = 9
$\quad\quad$ **A** $\quad$ **B** $\quad$ **C** $\quad$ **D** $\quad$ **E**

c) Schreib die passenden SMS-Nachrichten in dein Heft. Schreib auch noch eine Antwort dazu. Beispiel: Kommst du mit …? – Nein, ich … – Schade!

7 Kleine Geschichten

○ 1–5   **a)** Finde vier Dialoge. Jeder Dialog hat drei Teile. Schreib A, B, C und D vor die passen-den Teile.

> **A** Kommst du jetzt endlich?   **B** Hast du den Film „Ferien in Europa" gesehen?
>
> $\quad$ **C** Das kann ich nicht tragen.   ◯ Schade.   ◯ Ja gleich.
>
> **D** Was machst du eigentlich heute Nachmittag?   ◯ Das schon. Aber der Film war super.
>
> $\quad$ ◯ Das Gepäck ist zu schwer.   ◯ Ja. Aber das Ende war so traurig.
>
> $\quad$ ◯ He. Was ist denn los?   ◯ Der Zug ist schon da. Wir müssen einsteigen
>
> $\quad\quad$ ◯ Ich muss meine Schwester in die Musikschule bringen.

b) Schreib die Dialoge in dein Heft.

c) Zu welchen Dialogen passen diese Sätze? Ergänze den Buchstaben.

◯ Wir haben doch noch Zeit.   ◯ Na, ich weiß nicht.

d) Findest du zu den anderen Dialogen selbst noch einen Satz? Ergänze.

1 Sommer oder Winter?

a) Schreib die Wörter von unten in die Kästen.
Welche Kleidung trägt man im Sommer? Die schreibst du links. Welche Kleidung trägt man im Winter? Die schreibst du rechts. Welche Kleidung kann man im Sommer und im Winter tragen? Die schreibst du in die Mitte.

Rock • Handschuhe • Pullover • Bikini • Hemd • Kleid • Mütze • T-Shirt • Jeans • Stiefel

Sommer   Winter

**Lerntipp
zum Ankreuzen**
Du kannst Wörter besser behalten, wenn du sie in Gruppen lernst.
Bikini, Pulli:
___ Kleidung, ___ Hobby
Fotografieren, Surfen:
___ Kleidung, ___ Hobby

b) Schreib Sätze in dein Heft: Im Sommer/Winter trägt man …
… kann man im Sommer und Winter tragen.

2 Silbenrätsel: Einpacken

Was packt Maja ein? Schreib auf. Die Silben helfen dir:

Bi • Blu • cke • Hand • he • he • Ho • Ja • ki • lo • Man • ni • Pul • Schu • schu • se • se • tel • ver

_____   _____   _____

_____   _____   _____

_____   _____

K 3 Was passt zusammen?

a) Verbinde die Sätze und schreib die Zahlen.

a Es ist warm.
b Es ist kalt.
c Es regnet.
d Wir gehen schwimmen.
e Meine Tante wohnt in Verona.
f Im Herbst gibt es viel Regen.

1 Deshalb packe ich den Bikini ein.
2 Deshalb mag ich den Herbst nicht.
3 Deshalb ziehe ich ein T-Shirt an.
4 Deshalb fahren wir nach Italien.
5 Deshalb trage ich einen Pullover.
6 Deshalb bleibe ich zu Hause.

Rechenrätsel: ___ + ___ – ___ + ___ + ___ – ___ = 5
           a   b   c   d   e   f

b) Schreib die passenden Sätze in dein Heft.

4 Kleine Geschichten

⮕ 4 **a)** Finde vier Dialoge. Jeder Dialog hat vier Teile. Schreib A, B, C und
D vor die passenden Teile.

> Ⓐ Kommst du mit ins Schwimmbad?   Ⓒ Wann wollen wir für die Klassenarbeit lernen?
>
> Ⓓ Eva will ein Jahr nach Italien.   ◯ Nein, ich möchte heute nicht schwimmen.
>
> ◯ Wohin willst du denn?   ◯ Wir müssen aber.   ◯ Ein Jahr? Super!
>
> ◯ Ach, komm doch mit.   ◯ Ich will aber nicht.   ◯ Aber Evas Eltern wollen das nicht.
>
> ◯ Super! Da fahren wir mit.   ◯ Ich weiß.   ◯ An einen See.
>
> Ⓑ Wollt ihr am Sonntag mitfahren?   ◯ Eigentlich will ich gar nicht lernen.   ◯ Schade.

b) Schreib die Dialoge in dein Heft.

5 wollen – dürfen – können – müssen

⮕ 4 **a)** Ergänze die Tabelle.

	wollen	dürfen	können	müssen
ich	will			muss
du		darfst		
er/es/sie			kann	
wir		dürfen		müssen
ihr	wollt			
sie/viele			können	

b) Ergänze die Sätze mit den Wörtern aus der Tabelle.

1 ◆   Ich _____ am Wochenende unbedingt nach Wien fahren.

● Und? Wann fährst du?

◆ Gar nicht. Ich _____ nämlich nicht.

2 ❖   Uli _____ ins Popkonzert. Aber er _____ nicht.

▲ Warum denn nicht?

❖ Er _____ nicht ohne Eltern. Und die Eltern haben keine Zeit.

3 ■   Wir _____ am Wochenende in die Berge fahren. Kommst du mit?

✳ Tut mir leid. Ich _____ nicht. Ich _____ zu Oma und Opa.

■ Schade.

6 Eine komische Familie

4–5

ohne / beim Reisen

Vater sagt: Ich kann ohne meinen Computer nicht frühstücken.

Mutter sagt: Ich kann ohne meinen Hund nicht Auto fahren.

Jakob sagt: Ich kann ohne meinen Teddy keine Hausaufgaben machen.

Jana sagt: Ich gehe ohne meine Zeitung nicht spazieren.

Klein-Evi sagt: Ich kann ohne meine Brille nicht einschlafen.

Schreib die Sätze richtig in dein Heft.

K 7 Kreuzworträtsel: Wir fahren weg

6

Löse das Kreuzworträtsel.
Zu schwer?
Die Wörter helfen dir:

abfahren • ankommen •
Automat • Bahnhof •
Bahnsteig • Fahrkarte •
Fahrplan • Gepäck •
Gleis

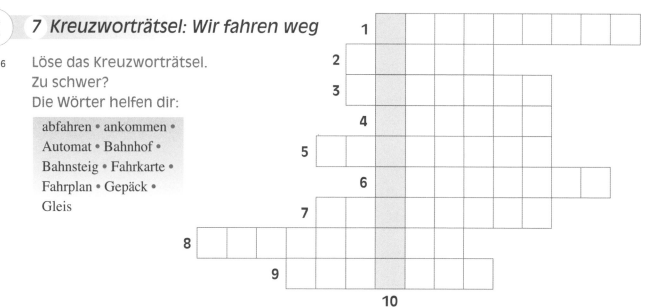

1 Man muss eine (1) kaufen.

2 Der Zug fährt auf (2) 13 ab.

3 Ich brauche eine Fahrkarte. Wo ist der (3)?

4 Fünf Taschen! Du hast aber viel (4)!

5 Wann und wo fährt der Zug ab? Das steht im (5).

6 Wir sind gleich da. Wir müssen gleich (6).

7 Bist du endlich fertig? Wir wollen (7).

8 Da warten die Leute auf den Zug.

9 Da fahren die Züge ab.

10 Da fliegen die Flugzeuge ab.

8 Na so was!

1–7

a) Lies den Text und trenn die Wörter und Sätze.

LUKASISTMITDEMZUGNACHWIENGEFAHRENERWARPÜNKTLICHERHATTEAUCH
SCHONEINEFAHRKARTEERISTAUFDENBAHNSTEIGGEGANGENUNDINDENZUG
EINGESTIEGENDERZUGISTBALDABGEFAHRENDIENÄCHSTEHALTESTELLEWAR
AUGSBURGWIEBITTEDASWARDOCHFALSCHDASWARJADERZUGNACHKÖLNIN
MÜNCHENISTLUKASFALSCHEINGESTIEGENDERBAHNSTEIGWARRICHTIGABER
DASGLEISWARFALSCHALSOISTLUKASWIEDERNACHMÜNCHENGEFAHREN
SOEINMIST

b) Schreib den Text in dein Heft.

c) Lukas schreibt Oma einen Brief und erzählt, was passiert ist.
Schreib so: Liebe …, stell Dir vor, was mir passiert ist.
Vergiss Ort und Datum nicht und am Ende den Gruß.

Lektion 47
Ferien am Meer

1 In der Schule

1 **a)** Ordne die Wörter den Piktogrammen zu. Verbinde.

Computerraum   Schwimmbad   Musikzimmer

Toilette   für Frauen und Männer   für Mädchen

b) Mach weitere Piktogramme für die Schule, z.B. Turnhalle, für Jungen …

2 ich bin – ich war

2 **a)** Ergänze die Tabelle.

jetzt	früher
ich bin	
	du warst
Jan ist	
	wir waren
ihr seid	
sie sind	

 b) Schreib Sätze in dein Heft. Verwende auch diese Wörter:

heute – jetzt – am Montag/Dienstag/…
am Wochenende – im Sommer/ …
im Mai/ … – am 11. April/…
krank – gesund, bei Oma – zu Hause
nett – gar nicht nett

Beispiel: Heute ist Jan wieder gesund,
              am Wochenende war er krank.

3 Wie darfst du fahren?

2–3 Schneid aus und kleb ein (Seite 111) oder schreib.

_____   _____   _____

_____   _____   _____

4 Wo ist denn der Kiosk?

2-3

Alex, Julia und Enzo suchen den Kiosk. Alex fragt eine Frau. Julia fragt einen Mann.
Enzo fragt ein Kind. Nur eine Person beschreibt den Weg richtig. Wer?

Kind: Du gehst geradeaus bis zur zweiten Straße und dann links.

Mann: Du gehst geradeaus bis zur zweiten Straße und dann links.

Frau: Du gehst geradeaus bis zur ersten Straße und dann rechts.

5 Hilf Maja

2-3

Schau noch einmal auf dem Plan oben nach. Auch Maja sucht den Kiosk.
Beschreib den Weg. Schreib in dein Heft. Schreib so: Du gehst ...

6 Wohin?

4

◆ Und wohin gehen wir jetzt?

● Ganz einfach. Nach (1).

▲ Nein, nicht nach (1). Nach (2)!

❖ Quatsch! Wir müssen nach (3).

■ Oder nach (4).

◆ Moment mal. Ich glaube,
   wir müssen wieder zurück.

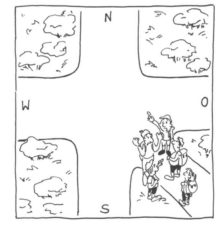

a) Ergänze den Dialog. Die Zahlen beim Kompass helfen dir.

b) Zu schwer? Hier sind die Wörter: Norden • Osten • Süden • Westen

K   7 Zahlenschlange

4-6

a) Lies die Zahlen in der Zahlenschlange und trenn sie mit einem Strich.

dreihundertsiebenundvierzigzweihundertdreiundsechzighundertvierundfünfzigsechshundertzweiundfünfzigachthundertneunundzwanzigsiebenhundertdreizehnvierhundertzweiundsiebzig

b) Schreib die Zahlen auf.

Rechenrätsel: ____ + ____ + ____ – ____ + ____ – ____ + ____ = 700

8 Was ist das?

⟳ 4–6 Verbinde die Zahlen so:

dreihundertvierundzwanzig • fünfhunderteinundsiebzig •
achthundertdreiundfünfzig • achthundertfünfunddreißig •
vierhundertsechsundneunzig • tausend • zweihundertelf •
fünfhundertsiebenundzwanzig • einhundertneunundsechzig •
sechshundertachtundvierzig • neunhundertzweiundsiebzig •
zweihundertsiebenundneunzig • achthundertneunundachtzig •
vierhundertsiebzehn • hundertfünfundsechzig •
dreihundertzweiundvierzig • dreihundertvierundzwanzig

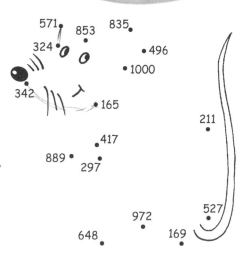

571 853 835
324 496
1000
342 165
211
417
889 297
527
972
648 169

K 9 Welche Antwort passt?

⟳ 7

a Bist du Engländerin?
b Entschuldigung, wie heißt das auf Deutsch?
c Kommst du aus Deutschland?
d John ist Engländer.
e Maria ist Italienerin.
f Wir basteln. Möchtest du mitmachen?

1 Ja, ich bin Deutsche.
2 Und Bruno ist Italiener. Sie kommen aus Rom.
3 Eingang. Das ist ein Eingang.
4 Ja, ich komme aus England.
5 Entschuldigung. Ich habe nicht verstanden.
6 Ich weiß. Er kommt aus London.

Ordne die Antworten zu. **Rechenrätsel:** $\underset{a}{\underline{\hphantom{00}}} - \underset{b}{\underline{\hphantom{00}}} + \underset{c}{\underline{\hphantom{00}}} + \underset{d}{\underline{\hphantom{00}}} + \underset{e}{\underline{\hphantom{00}}} - \underset{f}{\underline{\hphantom{00}}} = 5$

K 10 Wo ist die Burg?

⟳ 1–7

Ah, hier ist eine Information. Und da ist auch ein (1). Den frage ich mal:
„(2). Hier ist doch eine Burg, oder?" – „Ja, die Burg Landau. Sie ist sehr
groß und schon (3) Jahre alt." – „Und wo ist die Burg?" – „700 (4) von
hier. (5) bis zur nächsten Straße, dann links (6) den Fluss. Da ist ein (7),
hier gleich wieder (8) und dann rechts. Ich (9) …"– „Nein, nein. Das ist
so (10). Das (11) ich bestimmt. Danke." – „Also dann (12)!".

Also, ich gehe geradeaus, dann links, hier ist der Fluss, und der Wald, dann wieder links und
dann … noch mal links. Was? Das (13) ich nicht. Das sind doch keine 700 Meter! Das sind
sicher zwei (14). Ach, da ist ja schon die Burg. Nanu! Der (15) sieht aber komisch aus. Und
was steht da? Information. Na so was!

a) Jede Zahl im Text ist ein Wort. Hier sind die Wörter. Schreib die Zahlen. **Rechenrätsel:**

~~das~~ Eingang *entrance*   die Entschuldigung *soz*   nach links   ich über
+ der Meter   + ich verstehe *under stand*   + geh' geradeaus   + ich leicht *leicht*
+ der Kilometer   + ich finde   + ein tausend *thousand*   + ich viel Spaß *fun*
+ der Mann   + ich wiederhole *repeat*   + der Wald *woods*

____   ____   ____   ____
34   35   23   28

b) Schreib die Geschichte in dein Heft.

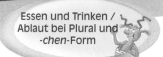
Essen und Trinken /
Ablaut bei Plural und
-chen-Form

1 E-Mail

1 HALLOEVIWIRWOHNENJETZTINFREIBURGDIEWOHNUNGISTGROSSUNDMEIN
ZIMMERISTSEHRHÜBSCHDERWALDISTNICHTWEITDAKANNMANSOSCHÖN
WANDERNBISBALDDEINETINA

Schreib den Text richtig in dein Heft.

K ## 2 Bilderrätsel: Essen und Trinken

2–3 **a)** Was ist das? Welche Buchstaben fehlen? Schreib diese Buchstaben unten auf.

1	2	3	4	5	6	7
KÄSEBRT	EIE	BANNE	MIERAL-WASSER	LAS	BRZEL	BIRE

8	9	10	11
UPPE	PIZZ	LASCHE	WURSBROT

Lösung: ___ ___ ___ ___ ___ ___ ___ ___ ___ ___ ___
     1   2   3   4   5   6   7   8   9   10 11

b) Schreib die Wörter in Einzahl und Mehrzahl in dein Heft.

+ e: 1, 11   ˙˙+ er: 5
+ n: 3, 6, 7, 8, 10   + s: 9

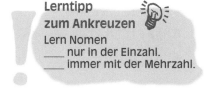
Lerntipp zum Ankreuzen
Lern Nomen
___ nur in der Einzahl.
___ immer mit der Mehrzahl.

3 eins und viele – groß und klein

4 **a)** Mal das zweite Bildchen aus und wandle das Wort in die Mehrzahl um.

Brüder   Buch   Rock   Block

Apfel   Haus   Zahn   Maus

b) Schreib das chen-Wort zum Bild.

 Brot   chen   Brötchen   Blume   chen   _____

 Katze   chen   _____   Maus   chen   _____

4 Jetzt und früher

5-6 **a)** Ergänze die Tabelle.

	ich hatte
du hast	
Maria hat	
	wir hatten
	ihr hattet
sie haben	

b) Schreib kleine Geschichten in dein Heft. Verwende diese Wörter:

Hunger • Durst • Halsschmerzen • Hausaufgaben • keine Lust • keine Zeit

Beispiel: Ich habe Hunger. Ich esse ein Brötchen.
Ich hatte Hunger. Ich habe ein Brötchen gegessen.

5 Gestern und heute

1 – 10   gestern   heute

1 Du hattest recht. Es war kalt. .... Es ist warm.

2 Wir hatten eine Party. Die Wohnung
war ziemlich schmutzig. .... wieder sauber

3 Die Kinder sind an einen Fluss gefahren. .... an einen See

4 Die Bibliothek war geschlossen. .... offen

5 Mein Zimmer hat schlimm ausgesehen. .... hübsch

6 Wir sind gewandert. .... bleiben zu Hause

Schreib die Sätze in dein Heft. Schreib so:

1 Du hattest recht. Gestern war es kalt. Heute ist es warm.

2 Gestern hatten wir … Die Wohnung war … Heute ist sie …

6 Guido!

10

Meine Haare sind lang und schwarz. Meine Nase ist hübsch. Meine Augen sind blau wie das Meer. Mein Mund ist groß und meine Zähne sind weiß. Meine Hände sind schön und … Ach, ich sehe ja so gut aus!

Er ist verrückt.

Kennst du Guido? Er sagt, er sieht so gut aus. Seine Haare sind …

Schreib die Sätze in dein Heft. Schreib so: Guido sagt, er sieht so … Seine Haare sind …

1 Was macht Laura?

Finde drei Sätze. Die Sätze ergeben eine kleine Geschichte.
Schreib die Geschichte in dein Heft.

Heute		ist		Laura
in die Musikschule		Morgen		
gegangen.	darf sie		ins Popkonzert	
muss		gehen.		Am Montag
in die Stadt		sie		fahren

Sa (heute)

So

Mo

2 Datum

Schreib das Datum in Worten.

am 9. April → _am neunten April_ _____

am 3. Mai → _____

am 1. Juni → _____

am 30. März → _____

am 7. Juli → _____

am 20. Februar → _____

3 Wortsuchrätsel: Tiere

a) Finde noch 20 Tiere.

```
F  M  J  R  V (P  A  P  A  G  E  I) P  F  E  R  D
G  A  L  D  O  H  A  S  E  K  A  T  Z  E  S  O  T
A  U  K  S  G  U  S  C  H  A  F  R  U  Q  C  B  I
N  S  U  Z  E  N  Y  E  L  E  F  A  N  T  H  B  G
S  C  H  I  L  D  K  R  Ö  T  E  B  Ä  R  W  E  E
A  M  E  E  R  S  C  H  W  E  I  N  C  H  E  N  R
P  O  N  Y  W  E  L  L  E  N  S  I  T  T  I  C  H
W  Z  T  N  G  A  K  U  W  S  V  B  K  P  N  X  O
```

b) Was können die Tiere? Schreib zehn Sätze in dein Heft: Papageien können sprechen.

_____ : Hier kannst du
der, das, die eintragen.

_ _ _ _ _ _ : Hier kannst du die
Mehrzahl eintragen.

Themenkreis Ferien

Kursbuch Seite 21

Ferien, die (Pl.)
bringen
Bahnhof, der, ⸚e
einsteigen

Lektion 45: Endlich Ferien!

Kursbuch Seite 22–24

endlich
an
See, _____, -n
ans
Meer, _____, -e
Insel, _____, -n
Berg, _____, -e
Fluss, _____, ⸚e
aufs
Land, _____ (Sg.) (= Landschaft)
zu (Präposition)
vormittags
nachmittags
Europa, - (Sg.)
Meter, der, -
Strand, der, ⸚e
Kiosk, der, -e
eigentlich
Zug, der, ⸚e
Kilometer, der, -
zu (teuer)
Gepäck, das (Sg.)
durch
Deutsche, _____/die, -n
tragen
Ende, das (Sg.)
am Ende

Lektion 46: Wir fahren weg

Kursbuch Seite 25–27

einpacken
Pullover, _____, -
Bikini, _____, -s
Italien, - (Sg.)
deshalb
regnen
Es regnet.
kalt
wollen
Teddy, der, -s
ohne
Flughafen, der, ⸚
abfahren
ankommen
Fahrplan, der, ⸚e
Fahrkarte, die, _ _ _ _ _ _ _ _ _ _
Automat, der, -en
Bahnsteig, der, -e
Gleis, das, -e
Witz, der, _ _ _ _ _ _ _ _ _ _ _

Lektion 47: Ferien am Meer

Kursbuch Seite 28–30

Toilette, _____, -n
Mann, der, _ _ _ _ _ _ _ _ _ _ _
leicht
Eingang, der, ⸚e
geradeaus
zur nächsten Straße
links
rechts
Viel Spaß!
Osten, der (Sg.)
finden (suchen und finden)
Norden, der (Sg.)
Süden, der (Sg.)
über
Wald, der, ⸚er
Westen, der (Sg.)
(ein)hundert
zweihundert
dreihundert
vierhundert
fünfhundert
sechshundert
siebenhundert

achthundert
neunhundert
(ein)tausend
Engländerin, _____, -nen
England, - (Sg.)
verstehen
Entschuldigung, die, -en
Italienerin, _____, -nen
Italiener, _____, -
Engländer, _____, -
auf Deutsch
wiederholen

Lektion 48: : Familie Klein macht Ferien

Kursbuch Seite 31–33

Zimmer, das, -
Wohnung, die, -en
wandern
hübsch
Käsebrot, das, -e
Wurstbrot, das, -e
Ei, das, _ _ _ _ _ _ _ _ _ _ _
Flasche, _____, -n
Banane, die, _ _ _ _ _ _ _ _ _
Brezel, die, -n
Birne, die, _ _ _ _ _ _ _ _ _ _
Mineralwasser, das (Sg.)
Suppe, die, -n
gestern
recht haben
schlimm
geschlossen sein

Orte angeben

| ☺ | ☺ | ☹ |

Wohin _____ ihr denn?

an einen _____ / _____

_____

_____

zu _____ in die _____

nach _____

Wohin fahrt ihr denn?

an einen See/Fluss,

aufs Land, in eine Stadt,

ans Meer,

zu Oma, in die Schweiz,

nach Wien,

nach Österreich

eine Folge ausdrücken

| ☺ | ☺ | ☹ |

In Spanien ist es warm. _____

nehme ich _____

Deshalb

nehme ich T-Shirts mit.

einen Weg beschreiben / Himmelsrichtungen

| ☺ | ☺ | ☹ |

rechts, _____

Wo ist _____

Du _____

_____

_____

Osten, _____

_____

rechts, links, geradeaus

Wo ist die Post?

Du gehst geradeaus

bis zur nächsten Straße

und dann rechts.

Osten, Westen, Süden, Norden

einen Wunsch äußern

| ☺ | ☺ | ☹ |

Ich möchte _____

_____

Ich _____ unbedingt _____

_____

Ohne _____

_____

Ich möchte die Katze

mitnehmen.

Ich will unbedingt

die Katze mitnehmen.

Ohne die Katze fahre

ich nicht mit.

☞

um Verständnishilfe bitten

☺	☺	☹

Das verstehe ich nicht.

Das _____ ich nicht.

Ich habe nicht verstanden.
Kannst du bitte langsam sprechen?

Ich habe nicht _____

Kannst du bitte langsam _____

_____ ?

Wie sagt man das auf Deutsch?

Wie sagt man das _____

_____ ?

Noch einmal bitte.

Noch _____ .

Kannst du das bitte wiederholen?

Kannst du das _____

_____ ?

Essen und Trinken

☺	☺	☹

Käsebrot, Wurstbrot, Ei, Mineralwasser, Banane, Brezel, Birne, Suppe

Käsebrot, _____

_____

_____

Beim Reisen

☺	☺	☹

Flughafen, Bahnhof, Fahrplan, Bahnsteig, Automat, Gleis, Fahrkarte, Kiosk, Strand, Dusche, Toilette

Flughafen, _____

_____

_____

_____

Zahlen und Maße

☺	☺	☹

(ein)hundert, zweihundert, vierhundertdreißig, tausend

einhundert, _____

_____

_____

Meter, Kilometer

Meter, _____

Geld © fotolia/c; Schild © fotolia/imageteam

Grammatik-Comic

1 Ergänze die Formen von *wollen*:

ich		wir	
du		ihr	
er, es, sie		sie/viele	

2 Schreib die gleichen Wörter wie oben an die richtige Stelle im Comic.

Bald sind Ferien.

Endlich!

Sag mal, was _____ du eigentlich in den Ferien machen?

Ich weiß noch nicht.

Also, ich _____ surfen. Deshalb _____ ich unbedingt nach Hawaii.

Meine Eltern _____ nach Südamerika.

Und mein Bruder _____ nach Australien.

Surfen kann man doch überall.

Wir _____ eine Safari in Afrika machen. Löwen sehen, Elefanten und so.

Löwen, Elefanten! Da gehe ich in den Zoo.

Ich _____ unbedingt nach New York! Da ist ein Konzert von Lady Gaga.

Was _____ ihr eigentlich in den Ferien machen?

Wir fahren zu Tante Gerda aufs Land.

Wie bitte?

Da gibt es Schafe, Kühe, Pferde … Wir _____ reiten, wandern, spielen …

Interessant.

In der Stadt

Du kennst schon viele deutsche Wörter und Sätze.

einkaufen

Was möchtet du ~~den~~ ?

Was ~~kostet~~ denn ein Comic?

Das ~~kostet~~ 90 Cent.

Das ist ~~zu~~ ~~teuer~~ gut

Dann nehme ich zwei Stück.

einen Weg beschreiben

Bitte, wo ist das kino ?

~~Du~~ geh geradeaus, über die Kreuzung

das Kino ist auf der linken Seite

Berufe

Der maler - artist

Der Arzt - doctor

Die lehrerin - female teacher

Der Sekretär - Pd, receptionist

Essen und Trinken

Maße

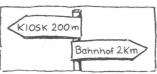

in der Stadt

Lektion 49
Weg aus Berlin

mit + Dativ /
Verkehrsmittel

K **1** *Puzzle: mit dem – mit der*

1 Welches Wort ist richtig? Schneid die Bildteile aus (S. 113), such die Zahl und leg das Teil auf das richtige Feld unten.

Fährst du mit	der	Fahrrad?	2	**a)**
	dem		4	
	das		6	

Oma fährt gern mit	die	Eisenbahn.	7	**e)**
	der		8	
	dem		6	

Wir fahren mit	der	U-Bahn.	6	**b)**
	die		3	
	dem		5	

Die Kinder fahren mit	dem	Bus.	2	**f)**
	den		3	
	der		4	

Ich fahre mit	der	Zug.	5	**c)**
	den		7	
	dem		1	

Wir fliegen mit	dem	Flugzeug.	7	**g)**
	das		5	
	den		3	

Fahrt ihr mit	das	Auto?	8	**d)**
	dem		3	
	der		4	

Planetino fliegt mit	das	Raumschiff.	1	**h)**
	dem		5	
	der		8	

	a)		e)
	b)		**f)**
	c)		**g)**
	d)		**h)**

46

2 Wortsuchrätsel: Berufe

a) Finde zehn Berufe.

b) Schreib die Berufe für Männer und Frauen in die Spalten.

G	S	E	Q	I	A	K	U	N	X	P
D	K	L	E	H	R	E	R	I	N	F
H	Ü	M	E	T	Z	G	E	R	Y	V
A	N	G	E	S	T	E	L	L	T	E
W	S	T	E	C	H	N	I	K	E	R
J	T	S	E	K	R	E	T	Ä	R	O
Ä	L	G	H	A	U	S	M	A	N	N
M	E	I	N	G	E	N	I	E	U	R
A	R	C	H	I	T	E	K	T	Z	F

Mann	Frau
Angestellter	
	Hausfrau
	Metzgerin

3 Arbeitslos?

Bring die Sätze in die richtige Reihenfolge. Schreib den Dialog in dein Heft.

1 Stell dir vor, mein Vater ist jetzt arbeitslos.

○ Na ja, jetzt ist er Hausmann. Das ist auch nicht so schlecht.

○ Was ist denn dein Vater von Beruf?

○ Ach, dein Vater findet sicher wieder einen Job.

○ Eigentlich ist er Techniker.

4 Ferien zu Hause

FERIEN ZU HAUSE? KEIN PROBLEM!

Treffpunkt immer 15 Uhr am Marktplatz

Deine Stadt lädt dich ein.

Mo	Malkurs	Fr	Fußballturnier
Di	mit dem Fahrrad an den See	Sa	Theater für Kinder
Do	Film „Momo"	So	Inlineskaten durch die Stadt

a) Jonas möchte beim Fußballturnier mitmachen. Sein Freund David ist in den Ferien auch zu Hause. Und er spielt auch gern Fußball. Jonas schreibt David eine E-Mail. Schreib die E-Mail in dein Heft. Schreib so: Hallo …,

am Freitag ist … Ich möchte … Machst …? …

b) Wo möchtest **du** mitmachen? Lad deinen Freund / deine Freundin per E-Mail ein.

Lektion 50
Einkaufen

 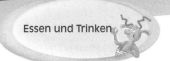

K **1** *Was kannst du noch sagen?*

↻ 1–2 Schreib die Zahlen zu den passenden Sätzen.

Rechenrätsel:

___ + ___ – ___ + ___ + ___ = 5
a   b   c   d   e

a Wir gehen immer am Montag und Dienstag ins Schwimmbad.

b Ich weiß nicht, wie das geht.

c Eva kommt mit.

d Eva sagt mir, wie das geht.

e Der Pulli kostet 15 Euro. Ich kaufe ihn.

1 Ich habe keine Ahnung.

2 Eva geht mit.

3 Der Pulli kostet 15 Euro. Ich nehme ihn.

4 Wir gehen zweimal die Woche ins Schwimmbad.

5 Eva erklärt mir alles.

2 *Kreuzwortgitter: Essen und Trinken*

↻ 2–4 **a)** Schreib die Wörter an die richtige Stelle im Kreuzwortgitter:

Butter • Fisch • Fleisch • Gemüse • Joghurt • Ketchup • Müsli • Obst • Quark • Salat • Trauben • Traubensaft • Wurst • ~~Zucker~~

b) Mal den Rand der Felder so aus:

blau   grün   rot   gelb

10 ___

c) Schreib die Zahlen aus dem Kreuzwortgitter zu den Bildern.

3 Wortsterne: Was gibt es wo?

2-4 Ergänze die Wortsterne mit diesen Wörtern. Achtung! Nicht alle Wörter passen.

Brötchen • Gemüse • Fleisch • Brot • Kekse • Wurst • Kuchen • Würstchen • Obst

_____ _____

Metzgerei

_____ _____

Bäckerei

4 Wo ist Planetino?

2-5 **a)** Wohin gehören die Wörter? Schreib sie an die richtige Stelle. Tipp: Zähl die Buchstaben!

äBceeikr • akMtr • adionSt • adlW • äceeefgGhmsstü • eeegiMrtz • aekmprrStu • aeilnnpsTtz • echlSu

b) Schreib die Fragen in dein Heft. Schreib so: Wo ist Planetino? Ist er im …? Ist er …? …

Ist Planetino …?

im		in der
_ _ _ _ _ _ _ _ _ _	_ _ _ _ _ _ _ _ _ _ _ _ _	_ _ _ _ _ _
_ _ _ _	_ _ _ _ _ _	_ _ _ _ _ _
auf dem		_ _ _ _ _ _
_ _ _ _ _ _		
_ _ _ _ _ _ _ _ _ _ _ _		

5 So ein Quatsch!

6-7 Schreib die Einkaufsliste richtig.

_____

_____

_____

_____

_____

1 Kilo Milch
250 Gramm Ketchup
1 Liter Wurst
1 Flasche Käse
1 Stück Fleisch

K **6** *Welche Antwort passt?*

einkaufen

6–7 **a)** Mach Kreuzchen.

1 Was darf's denn sein?

- **D** Ich darf keine Trauben essen.
- **G** Ich möchte ein Kilo Trauben.
- **B** Ich darf einkaufen.

4 Ich nehme zwei Stück.

- **Ü** Das macht 1, 60 Euro.
- **Ä** Hier ist ein Stück.
- **Ö** Ich habe zwei Stück.

2 Noch etwas?

- **E** Einen Moment, bitte.
- **A** Nein, noch etwas.
- **O** Na so was.

5 Ist das alles?

- **T** Nein, danke.
- **S** Ja, danke.
- **L** Nein, bitte.

3 Was kostet denn der Salat?

- **N** Der Salat ist gut.
- **S** Der Salat kostet.
- **M** 80 Cent.

6 Wie viel kostet das?

- **R** Das kostet viel.
- **E** Das macht zusammen 4,40 Euro.
- **N** Das macht nichts.

Lösung: Maja ist im ___ ___ ___ ___ ___ ___ **GESCHÄFT.**
         1   2   3   4   5   6

b) Die Fragen und die richtigen Antworten ergeben eine kleine Geschichte.
Schreib die Geschichte in dein Heft.

K **7** *Labyrinth: Schulsachen kaufen*

8 Such die Geschichte. Findest du den Weg?

Guten Tag. Was darf's denn sein?

Ich möchte einen Radiergummi, bitte.   Ich möchte einen Radiergummi, danke.

Noch etwas?   Ich habe einen Radiergummi.

Keinen Zeichenblock, bitte.   Einen Zeichenblock, bitte.

Hier bitte.   Hier ist kein Zeichenblock.

Was kosten denn die Stifte da?   Was machen denn die Stifte da?

2,50 Euro das Kilo.   2,50 Euro das Stück.

Das ist mir zu teuer. Das ist dann alles.   Das ist mir zu billig. Das ist dann alles.

Das ist 3,80 Euro.   Das macht zusammen 3,80 Euro.

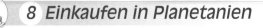

8 *Einkaufen in Planetanien*

8–9 In Planetanien ist alles anders. So ist es, wenn Planetino einkaufen geht:

Im Schreibwarengeschäft kauft Planetino Salat und … In der Bäckerei kauft er …

Wer schreibt den schönsten Quatsch?

Lektion 51
Die Stadt

Gebäude in der Stadt
B-P, D-T, G-K im Anlaut

K **1** *Silbenrätsel: In der Stadt*

1–3 **a)** Was ist das? Schreib die Wörter. Die Silben helfen dir.

> A • bad • Bib • Bahn • che • Hal • haus • hof • ke • ken • Kir • Kran • le • li • Markt • o • Park •
> platz • po • Post • Schwimm • stel • te • the • thek

1 Da kann man die Briefe hinbringen.

_____ (3. Buchstabe)

2 Da werden Kranke gesund.

_____ (10. Buchstabe)

3 Da ist zweimal die Woche Markt.

_____ (6. Buchstabe)

4 Da kann man einsteigen und aussteigen.

_____ (5. Buchstabe)

5 Dahin gehen viele Leute am Sonntag.

_____ (3. Buchstabe)

6 Da kann man schwimmen.

_____ (6. Buchst.)

7 Da fahren die Züge ab.

_____ (2. Buchst.)

8 Da stehen viele Bäume.

_____ (3. Buchst.)

9 Da kann man Bücher lesen.

_____ (10. Buchst.)

10 Da kann man Medizin kaufen.

_____ (4. Buchst.)

b) Schreib von jedem Wort den angegebenen Buchstaben.

Lösung: __ __ __ __ __ __ __ __ __ __
         1 2 3 4 5 6 7 8 9 10

c) Unterstreich die Wörter: blau: 3, 7, 8; grün: 2, 6; rot: 1, 4, 5, 9, 10

2 *Was gibt es bei uns?*

1–3 **a)** Schreib acht Fragen für deinen Partner. Mach auch eine *Ja-Nein*-Liste dazu.
Schreib so:

Gibt es bei uns einen Park?

Gibt es bei uns ein Krankenhaus?

usw.

Ja	Nein

Du kannst auch andere Wörter schreiben: Kino, Supermarkt, Bäckerei …

b) Tauscht die Blätter. Nun lies die Fragen und mach Kreuzchen bei *Ja* oder *Nein*.

c) Vergleicht die Blätter. Schreibt Sätze ins Heft: Bei uns gibt es ein/e/en … , aber kein/e/en …

3 *Was fehlt?*

P   T   B   p
K P   g T b g k
t B   D   d G

4–5 Lies die Wörter laut und ergänze die Buchstaben.

___ostkarte, ___ennis, ___latz, ___eide, ___ragen, ___urnhalle, ___ino, ___enau, ___aufen

___eshalb, ___allettschule, ___lücklich, ___erg, ___eutsche, ___eschäft, ___aket

4 Nach dem Weg fragen

6 **a)** Wie kannst du auch fragen? Schreib auf.

1 Bitte, wo ist der Marktplatz? → <u>Bitte, wie komme ich zum Marktplatz?</u>

2 Bitte, wo ist das Krankenhaus? → <u>Bitte, wie komme ich</u> ?

3 Bitte, wo ist die Haltestelle? → <u>Bitte, wie komme ich zur</u> ?

4 Bitte, wo ist die Post? → _____

5 Bitte, wo ist das Kino? → _____

6 Bitte, wo ist der Park? → _____

b) Unterstreich: blau → der/zum; grün → das/zum; rot → die/zur

5 Unsere Stadt

Lerntipp zum Ankreuzen

Üb immer im ganzen Satz.
Wo ist _____ die Post?
Wo ist _____ zur Post?
Wie komme ich _____ die Post?
Wie komme ich _____ zur Post?

6–8 **a)** Schneid die Bilder auf Seite 113 aus. Lies die Anweisungen.
Du fängst immer bei dem Kreuz (X) an.
Geh mit dem Finger auf dem Plan. Kleb dann die Bilder an
die richtige Stelle.

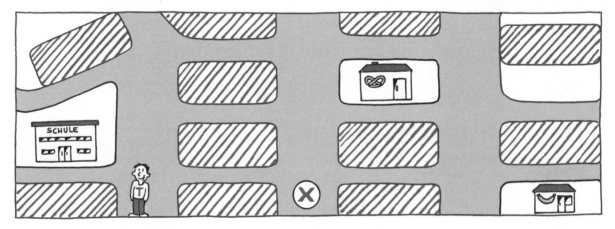

1 Du gehst geradeaus bis zur nächsten Kreuzung und dann rechts. Da ist das Krankenhaus.

2 Du gehst geradeaus bis zur zweiten Kreuzung und dann links. Da ist die Post.

3 Du gehst geradeaus bis zur zweiten Kreuzung, dann rechts, weiter bis zur nächsten
Kreuzung und hier links. Da ist der Park.

4 Du gehst geradeaus bis zur dritten Kreuzung und dann links. Du gehst weiter geradeaus
bis zur nächsten Kreuzung und hier wieder links. Da ist der Bahnhof.

 b) Tobias möchte zum Park. Beschreib Tobias den Weg.

Also, du gehst _____ bis _____

dann _____. Du gehst weiter bis _____

und hier _____

52

Lektion 52
Spielen und Raten

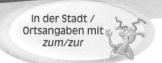

In der Stadt / Ortsangaben mit zum/zur

K **1 Kreuzworträtsel: In der Stadt**

Löse das Kreuzworträtsel.

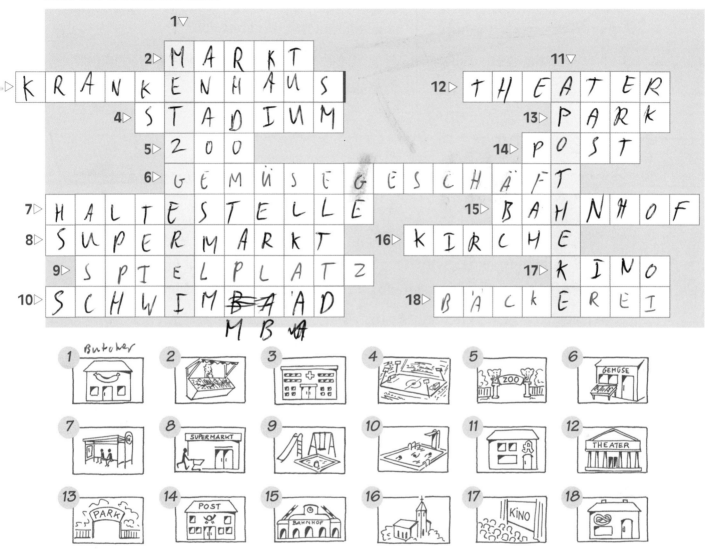

1▽
2▷ M A R K T
▷ K R A N K E N H A U S
4▷ S T A D I U M
5▷ Z O O
6▷ G E M Ü S E G E S C H Ä F T
7▷ H A L T E S T E L L E
8▷ S U P E R M A R K T
9▷ S P I E L P L A T Z
10▷ S C H W I M B A D

11▽
12▷ T H E A T E R
13▷ P A R K
14▷ P O S T
15▷ B A H N H O F
16▷ K I R C H E
17▷ K I N O
18▷ B Ä C K E R E I

2 Wohin geht Theo?

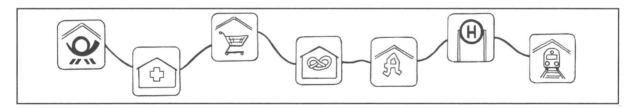

Theo muss heute viele Sachen machen. Wohin geht er und warum? Such den Weg.
Schreib in dein Heft. Die Sätze helfen dir.

seine Oma besuchen • Kuchen kaufen • ein Paket aufgeben • einkaufen • zum Bahnhof fahren •
eine Medizin holen • einen Freund abholen

Schreib so: Theo geht zur Post. Er muss ein Paket … Dann geht er … Er möchte …

3 Was passt zusammen?

2 Ordne die Zahlen den Wörtern zu. Verbinde.

10 000   einhundert   zwei Millionen fünfhunderttausend   250 000

100   eintausend   zweitausendfünfzig   2 500 000

1 000 000
              zehntausend   zweihundertfünfzigtausend   2 050

1000   hunderttausend   zwei Millionen fünfhundert   20 005

100 000   eine Million   zwanzigtausend fünf   2 000 500

4 Kleine Geschichten

2 **a)** Finde drei Dialoge. Jeder Dialog hat vier Teile. Schreib A, B und C vor die passenden
Teile.

A Was macht ihr denn in den Ferien?   B He, wohin gehst du denn so schnell?

  C Ich fahre in die Schweiz.   Zum Bahnhof.

  Wir fliegen nach Griechenland.   Ganz im Süden von Europa.

Wirklich? Welches Geld gibt es denn da?   Fährst du weg?   Franken.

  Wo ist eigentlich Griechenland?   Ja, nach Österreich, nach Wien.

Vergiss nicht! Da kann man nicht mit Euro bezahlen.

b) Schreib die drei Dialoge in dein Heft.
Zu welchem Dialog passt dieser Schluss: „Gute Reise!"?

c) Findest du selbst einen Schluss zu einem Dialog? Schreib in dein Heft.

5 Postkarte aus der Schweiz

2 Stell dir vor, du bist in der Schweiz. Schreib eine Postkarte an … Die Sätze helfen dir.

Liebe _____

wir sind schon eine Woche in der Schweiz.

Gestern _____

Am Mittag haben wir _____

_____

Das hat gut geschmeckt!

Schi fahren •
Käse essen und
Milch trinken

1 Antons Familie

Anton sagt: Ich habe vier Geschwister: Maria, Sofia, Florian und Jakob.

Meine Mutter hat eine Schwester und zwei Brüder.

Mein Vater hat zwei Schwestern.

Tante Rosi hat zwei Kinder, einen Jungen und ein Mädchen.

Tante Laura hat ein Kind, ein Mädchen.

Onkel Martin hat vier Kinder, drei Jungen und ein Mädchen.

Die anderen haben noch keine Kinder.

Wie viele Brüder und Schwestern, Tanten und Onkel, Cousins und Kusinen hat Anton?

Anton hat _____ Brüder und _____.

Er hat _____.

Er hat _____

2 heute und gestern

a) Ergänze die Tabelle.

heute	gestern
du bekommst	du hast bekommen
ich fahre	ich bin
das Pferd läuft	
die Kinder spielen	
wir klettern	
ihr esst	
Mara vergisst	
du gehst	
wir hören	
ich schreibe	
ihr kommt	

b) Schreib Sätze mit den Vergangenheitsformen aus der Tabelle in dein Heft.

Verwende diese Wörter: Fußball • in die Stadt • auf den Baum • einen Hund • schnell • einen Brief • ins Kino • Pizza • Musik • das Heft • am Nachmittag

Schreib so: Du hast einen Hund bekommen. usw.

Wortliste

_____: Hier kannst du
der, das, die eintragen.

_____: Hier kannst du die
Mehrzahl eintragen.

Themenkreis
In der Stadt
Kursbuch Seite 35
Stadt, die, ¨e
aussteigen

Lektion 49: Weg aus Berlin
Kursbuch Seite 36
Angestellte, der/die, -n
Hausmann, der, ¨er
Bus, der, -se
U-Bahn, die, -en
arbeitslos
Job, der, -s
Beruf, der, -e

Lektion 50: Einkaufen
Kursbuch Seite 38–39
erklären
mitgehen
kaufen
Geschäft, _____, -e
Gemüsegeschäft, _____, -e
Traube, die, _____
Gramm, das (Sg.)
Gemüse, das (Sg.)
Metzgerei, _____, -en
Bäckerei, _____, -en
Quark, der (Sg.)
Butter, die (Sg.)
Fisch, _____, -e
Joghurt, der/das, -s
Traubensaft, _____ (Sg.)
Zucker, _____ (Sg.)
Müsli, _____, -s
Ketchup, der/das, -s
Markt, der, ¨e
Kilo, das (Sg.)
Stück, das, -e
Was darf's denn sein?
Liter, der, -
Das macht … Euro.

Lektion 51: Die Stadt
Kursbuch Seite 41–43
Marktplatz, _____, ¨e
Park, _____, -s
Bibliothek, _____, -en
Post, _____ (Sg.)
Kirche, _____, -n
Haltestelle, _____, -n
Paket, das, -e
zum
zur
Geld, das (Sg.)
kochen

Lektion 52: Spielen und Raten
Kursbuch Seite 45
Slowakei, die (Sg.)
(= Slowakische Republik, die)
Hauptstadt, die, ¨e
Million, die, -en
Land, das, ¨er (= Staat)
Tschechien, - (Sg.)
(= Tschechische Republik, die)
Spanien, - (Sg.)
Türkei, die (Sg.)

Haltestelle D-A-CH-L
Kursbuch Seite 48–55
Französisch (als Sprache)
Italienisch (als Sprache)
Schweizer, der, -
Österreicher, der, -
Rad, das, _____
österreichisch
schneiden

Das habe ich gelernt

hier falten

einkaufen

☺ 😐 ☹

Was darf's _____ ?

Wie _____ denn?

Zwei _____ , bitte.

Was _____ das?

_____ 3,60 Euro.

Was darf's denn sein?

Wie viel denn?

Zwei Kilo, bitte.

Was kostet das?

Das macht/kostet 3,60 Euro.

nach dem Weg fragen

☺ 😐 ☹

Entschuldigung, wie _____

_____

_____ ,

wo _____ ?

Entschuldigung, wie komme

ich zur Post?

Entschuldigung,

wo ist die Post?

den Weg beschreiben

☺ 😐 ☹

_____

Du gehst _____ bis

_____

_____

Du gehst _____ bis

_____

Du gehst geradeaus bis
zur nächsten
Straße und dann rechts.

Du gehst geradeaus bis
zur ersten Kreuzung
und dann links.

rund um den Beruf

☺ 😐 ☹

_____

_____

Er ist _____ von _____ .

Beruf/ _____

ohne Job = _____

Ingenieur, Angestellte,

Hausmann

Er ist Lehrer von Beruf.

Beruf/Job

ohne Job = arbeitslos

Essen und Trinken

☺	☺	☹

Fisch, Zucker, Quark,
Joghurt, Fleisch,
Gemüse, Ei, Müsli,
Ketchup, Brezel,
Butter, Trauben,
Traubensaft

_____

_____

_____

_____

_____

_____

_____

Maße

☺	☺	☹

ein Kilo, 250 Gramm,
ein Liter,
ein Stück, eine Flasche

_____

_____

_____

_____

_____

in der Stadt

☺	☺	☹

Markt, Marktplatz,
Park, Schwimmbad,
Krankenhaus,
Theater, Kino,
Bibliothek, Post,
Kirche, Haltestelle,
Supermarkt,
Gemüsegeschäft,
Bäckerei, Metzgerei

_____

_____

_____

_____

_____

_____

_____

Grammatik-Comic

1 Ergänze: Die Leute sind

_____ Supermarkt	_____ Gemüsegeschäft	_____ Metzgerei
_____ Wald	_____ Stadion	_____ Bäckerei
⚠ _____ Markt	_____ Kino	_____ Apotheke

2 Schreib die passenden Wörter von oben an die richtige Stelle im Comic.

Wir sprechen, hören, sehen fern

Du kennst schon viele deutsche Wörter und Sätze.

Vorlieben ausdrücken

Ich _____ gern _____

aber _____ .

Ich _____ am _____

Mein _____

ist _____ .

über das Befinden sprechen

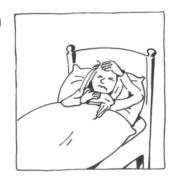

Wie geht _____ ?

Mir _____ .

Ich bin _____ .

Ich habe _____ .

Und mein Kopf _____

_____ .

Informationen über Personen erfragen

_____ ? – Anna.

_____ ? – Aus Österreich.

_____ ? – In Köln.

_____ ? – Rheinstraße 11.

_____ ? – 12 Jahre.

_____ ? – Schwimmen.

Tagesablauf beschreiben

Morgen, Vormittag, _____

_____

aufstehen, duschen, _____

_____

_____

Lektion 53
Telefon, Handy usw.

Fragewörter Wer?/Wen?

1 SMS aus den Ferien

1 **a)** Welche SMS ist eine Antwort? Nummer _____.

1 Grüße aus USA. Wir sind gerade am Grand Canyon bei den Navajo Indianern.

2 Ich bin mit Tante Eva in die Berge gefahren. Aber wir haben nur Regen. Mist!

3 Die Türkei ist toll. Es ist sehr warm und das Meer ist super. Noch zwei Wochen!

4 Das muss toll sein. Ich war noch nie in Amerika. Schick mir bitte eine Postkarte.

b) Antworte auf die anderen SMS-Nachrichten. Schreib in dein Heft.

K ### 2 Wer? Was? Wen?

2 Was ist richtig? Mach Kreuzchen.

a)	Wer	triffst du heute? – Einen Freund.	*1*	d)	Wer	ist das? – Ein Vogel.	*3*
	Wen		*3*		Wen		*4*
	Was		*5*		Was		*5*
b)	Wer	ist das? – Ein Freund.	*2*	e)	Wer	kennst du hier? – Die Frau da.	*4*
	Wen		*4*		Wen		*6*
	Was		*6*		Was		*5*
c)	Wer	siehst du denn da? – Einen Vogel.	*6*	f)	Wer	kommt heute? – Meine Tante.	*1*
	Wen		*5*		Wen		*2*
	Was		*4*		Was		*3*

Rechenrätsel: ___ + ___ – ___ + ___ – ___ + ___ = 1
$\quad$ a $\quad$ b $\quad$ c $\quad$ d $\quad$ e $\quad$ f

K ### 3 Domino

2 **a)** Finde den Weg.

●	Wie heißt dein Cousin?	Am Sonntag.	Wer kommt denn da?	Zum Markt.	Was hast du denn da?

Aus der Schweiz.	Wen rufst du an?	Max.	Wohin gehst du?	Einen Ball.	Wann kommt dein Opa?	Mein Opa.	Woher kommst du?

b) Schreib die Fragen und Antworten der Reihe nach in dein Heft.

Meinen Cousin.	Warum kommt Max nicht?	Er ist krank.	●

K **4** *Telefongespräch*

2 – 3 **a)** Wohin gehören die Textteile? Schreib die Buchstaben links.

M ● ...
◆ Jakob.
● ...
◆ Es ist besetzt.
● ...
◆ Nein, ich rufe noch mal an.
Jetzt ist frei. Hallo, Jakob!
■ ...
◆ Kommst du heute?
■ ...
◆ Um drei.
■ ...
● ...
◆ Jakob kommt um drei.

A ● Was ist?
R ● Schick doch eine SMS.
A ● Und?
M ● Wen rufst du denn an?
I ■ Wann denn?
T ■ Hi, Lena.
N ■ Einverstanden.

Lösung: Das andere Mädchen heißt _____.

b) Ergänze die Fragen und schreib die Antworten.

1 _____ ruft Lena an? _____

2 _____ ruft sie noch mal an? _____

3 _____ kommt heute? _____

4 _____ kommt Jakob? _____

K **5** *Grüße aus der Türkei*

4

Hallo Florian,
ich bin schon sechs (a) in Istanbul. Es ist
(b) hier. Die (c) ist sehr groß und wirklich
interessant. Jeden (d) machen wir etwas
anderes. Heute gehen wir (e) . Aber vorher
muss ich noch Geld (f) . Hier gibt es
nämlich (g) Euro.
Viele (h) aus der Türkei
Deine Annika

Florian Beck
Bergstraße 12
A-5700 Zell am See
Österreich

a) Wohin gehören die Wörter? Schreib die Zahlen auf.

1 Tag   **3** Grüße   **5** warm   **7** wechseln
2 Tage   **4** Stadt   **6** keinen   **8** einkaufen

Rechenrätsel: ____ + ____ – ____ + ____ + ____ + ____ – ____ – ____ = 10
                 a   b   c   d   e   f   g   h

b) Schreib den Text richtig in dein Heft.

K **1** *Kinderillu*

1

EMMA HILFT

Hallo, hier ist wieder Deine Emma. Hast du ein Otpnkrn (1)?
Schreib mir doch. Vielleicht kann ich Dir helfen.

A
Meine Eltern wollen in den Ferien nach Düsburm (2) und ich muss mit. Aber ich möchte lieber skkwub (3) zu Hause bleiben. Das darf ich aber nicht.
Tina

B
Ich möchte so gern einmal bei dem Wiot (4) „Wer weiß noch was?" mitmachen. Zu Hause vor dem Fernseher kann ich immer alle Gtshrm (5) beantworten. Aber ich bin noch zu jung. So ein Mist! *Leon*

C
Ich sehe gern Ltunud (6). Aber nachher habe ich immer Angst. Ich höre dann immer etwas und glaube, hwnsbf (7) kommt in mein Zimmer. Meine Freunde lachen schon über mich. *Jakob*

D
In unserer Straße wohnt ein Junge. Der ist soooo süß! Er fährt immer mit dem Fahrrad vorbei. Ich grüße ihn, aber er jökz (8) nie. Was mache ich denn nur? *Lena*

a) Im Text sind viele Druckfehler. Ersetze sie mit diesen Wörtern. Schreib die Zahlen auf.

Rechenrätsel: ___ Krimis + ___ Quiz + ___ Problem + ___ Spanien = **13**

___ allein + ___ jemand + ___ hält + ___ Fragen = **23**

b) Schreib zu einem Brief eine Antwort.

2 Er und sie

2 **a)** Zu welchen Bildern passen die Sätze? Schreib A für Alina oder B für Boris.

Alina   *Boris*

___ Ihre Haare sind kurz.   ___ Ihr Tuch ist blau.

___ Seine Haare sind auch kurz.   ___ Seine Hose ist blau.

___ Sein Pulli ist lang.   ___ Ihre Hose ist rot.

___ Ihr Pulli ist auch lang.   ___ Sein Tuch ist rot.

b) Beschreib Alina und Boris.

Sein Gesicht ist _____.   Ihr Gesicht ist nicht _____.

_____ Nase _____ lang.   _____ Nase_____ kurz.

_____ Hals _____.   _____.

_____ Augen _____.   _____.

3 So ein Mist!

> Hallo Lina,
> stell Dir vor, was mir heute Morgen passiert ist:
> Meine Uhr war kaputt. Ich war viel zu spät dran. Und mein Fahrrad war auch kaputt.
> Ich bin zur Bushaltestelle gegangen, aber mein Bus war schon weg. Also bin ich gelaufen.
> Ich war total kaputt. Und …? Mein Musiklehrer war krank. Wir hatten die erste Stunde frei!
> Deine Maja

a) Erzähl Majas Erlebnis. Schreib so in dein Heft: Majas Uhr … Sie war …

b) Auch Leo ist so etwas passiert. Die Deutschlehrerin war krank. Schreib auf.

4 Kleine Geschichten

a) Finde vier Dialoge. Jeder Dialog hat vier Teile. Schreib A, B, C und D vor die passenden Teile.

> *A* Morgen ist doch der 3. Mai. Da ist Zirkus.
> Ich kann leider nicht mitkommen.
>
> *C* Mach doch bitte
> die Musik aus.
>
> ○ Die Musik ist so laut.
> Und ich habe Kopfschmerzen.
>
> ○ Das ist mir egal. Wir spielen
> doch nur zehn Minuten.
>
> ○ Na, ich weiß nicht.   ○ Was hast du denn?   ○ Mir geht es gar nicht gut.
>
> ○ Ich bin krank.
> Ich muss im Bett bleiben.
>
> ○ Warum kannst du
> denn nicht mitkommen?
>
> ○ Basketball?
> Du bist doch krank!
>
> *D* Hallo, Jonas. Komm, wir spielen Basketball.   *B* Na, wie geht's?
>
> ○ Die Musik? Warum denn?
>
> ○ Ach, Mensch.
> Das tut mir leid.
>
> ○ Ich habe zu viel gegessen.
> Ich habe Bauchschmerzen.
>
> ○ Ach so. Entschuldigung.

b) Schreib die Dialoge in dein Heft.

5 Doppelbuchstaben

Ha▯▯o, ich bin Ha▯▯es. Ich gehe in die fünfte Kla▯▯e. Mein Kla▯▯enlehrer ist He▯▯
Neumann. Meine Adre▯▯e ist So▯▯erstraße, wie Winterstraße, Nu▯▯er 13. Meine Ho▯▯ys
sind Briefmarken sa▯▯eln und Basketba▯▯. Jeden Mi▯▯woch gehe ich in die Turnha▯▯e
und am Do▯▯erstag ins Schwi▯▯bad. Am So▯▯tag spiele ich oft Te▯▯is. Ich habe einen
We▯▯ensi▯▯ich. Er ka▯▯ sprechen und sehr gut kle▯▯ern. Er heißt Zo▯▯o. Mein Lieb-
lingse▯▯en ist Pi▯▯a. Ich e▯▯e aber auch gern Karto▯▯eln, Su▯▯e und Pu▯▯ing. Hmm!

t t	p p	l l	m m	n n	r r	b b	s s	f f	d d	z z
III										

_3_ + ____ + ____ + ____ − ____ + ____ + ____ − ____ − ____ − ____ + ____ = 4

a) In den Wörtern mit ▯▯ fehlen Doppelbuchstaben. Mach für jeden Doppelbuchstaben
einen Strich an die richtige Stelle. Schreib dann die Anzahl der Striche und rechne.

b) Schreib die Geschichte richtig in dein Heft.

6 Frage und Antwort

↻ 5 Ergänze Frage oder Antwort. Verwende diese Wörter.

--- → nicht • etwas → nichts • ein/eine → kein/keine • jemand → niemand

1 Siehst du etwas? _____ Nein, ich _____

2 _____ Nein, ich male nicht. _____

3 Ist das ein Pony? _____ Nein, _____

4 _____ Nein, da ist niemand. _____

K ## 7 Welche Antwort passt?

↻ 5 **a)** Mach Kreuzchen. Schreib die Zahlen und zähl zusammen.

A Kommt heute nicht der Asterix-Film?

　3　Ja, um sieben Uhr.
　5　Nein, um sieben Uhr.
　7　Doch, um sieben Uhr.

B Fährst du am Wochenende zu Oma?

　2　Ja, am Samstag.
　4　Nein, am Samstag.
　6　Doch, am Samstag.

C Kommt niemand mit?

　7　Ja, wir sind allein.
　8　Nein, wir sind allein.
　9　Doch, wir sind allein.

D Möchtest du etwas trinken?

　1　Ja, gern.
　10　Nein, gern.
　11　Doch, gern.

E Gibt es hier kein Kino?

　3　Ja, in der Stadt.
　6　Nein, in der Stadt.
　9　Doch, in der Stadt.

Rechenrätsel: $\dfrac{\_\_\_}{A} + \dfrac{\_\_\_}{B} + \dfrac{\_\_\_}{C} - \dfrac{\_\_\_}{D} + \dfrac{\_\_\_}{E} = 25$

b) Schreib die Fragen und richtigen Antworten in dein Heft.

---

8 Der Reporter fragt dich

↻ 5 **a)** Beantworte die Fragen mit *Ja, Nein* oder *Doch*.

1 Wohnst du in Österreich? _____ .

2 Hast du keine Geschwister? _____ .

3 Kannst du schwimmen? _____ .

4 Lernst du nicht Deutsch? _____ .

5 Isst du nichts am Mittag? _____ .

6 Siehst du oft fern? _____ .

7 Hast du kein Pony? _____ .

8 Hörst du nicht gern Musik? _____ .

b) Schreib sechs weitere Fragen für deinen Partner auf ein Blatt.
Tausch das Blatt mit deinem Partner und antworte.

9 Fragen

6 Schreib Fragen zu den Antworten. Probier's zuerst allein.
Zu schwer? Die Fragen unten helfen dir.

1 _____? Nein, ich darf abends nicht fernsehen.

2 _____? Ja, ich lerne Englisch.

3 _____? Doch, ich möchte etwas trinken.

4 _____? Nein, ich habe keine Ohrringe.

5 _____? Ja, Tanzen ist mein Hobby.

6 _____? Doch, ich spiele nachmittags Fußball.

trinken • nichts • Möchtest • du	nicht • du • Spielst • nachmittags • Fußball
Hobby • Tanzen • Ist • dein	Hast • du • Ohrringe • (keine)
Englisch • Lernst • du	fernsehen • Darfst • abends • du • (nicht)

10 Kein Fernsehen heute

7 **a)** Schau die Bilder an. Lies die Fragen und beantworte sie.
Dann entsteht eine Geschichte. Zu schwer? Die Wörter unten helfen dir.

1 Was möchten Leon und Anna machen?

2 Was machen sie an?

3 Wie ist der Fernseher?

4 Was hat Anna?

5 Wer spielt „Berufe raten"?

6 Was nimmt Anna und was macht sie?

7 Warum weiß das Leon sofort?

8 Wer ist jetzt dran?

9 Wie lange spielen sie?

10 Wie war der Nachmittag?

kaputt • fernsehen • den Fernseher • eine Idee • Anna und Leon • einen Pinsel und malt • zwei Stunden • Das ist leicht. • toll • Leon

b) Schreib die Geschichte in dein Heft. Diese Sätze kannst du auch noch verwenden:
Aber, was ist das? – „So ein Mist! Was machen wir denn jetzt?", fragt Leon. –
„Wir können doch ‚Berufe raten' spielen", sagt Anna. – „Du bist Künstlerin", sagt er. –
Anna sagt: „Siehst du? Wir brauchen gar keinen Fernseher."

Lektion 55
Radio

1 Schüler-Forum: Hörst du Radio?

⊃ 1 **a)** Wohin gehören die Sätze unten? Schreib sie an die richtige Stelle.

> Birne: Ich höre oft Radio, _____.
>
> Mausi: Ich höre _____ Radio.
>   Da gibt es Hörspiele, meistens Krimis. Das ist toll.
>
> Lolli: Ich höre gern Musik, _____,
>   nur von meinem MP3-Player. Da kann ich mir die Titel selbst aussuchen.
>
> Mimi: Ich höre nicht gern Radio, _____.

ich sehe lieber fern • immer am Samstag • aber nur Musik • aber nicht im Radio

b) Und du? Hörst du Radio? Schreib einen kleinen Text für das Schüler-Forum.

2 So ein Quatsch!

⊃ 1 Mach die Sätze richtig. Schreib sie in dein Heft.

1 Ich sehe gern Radio.
2 Surfst du gern fern?
3 Möchtet ihr eine DVD hören?
4 Wir hören oft im Internet.
5 Ich sehe gern Bücher.
6 Mein Bruder liest immer CDs.

Lerntipp zum Ankreuzen

Fass Wörter unter einem Thema zusammen. Dann kannst du sie besser behalten.
Arzt, Rezept, Medizin:
____ Schule
____ Krankheit

3 Wortsterne: Alltag

⊃ 2–3 **a)** Welche Wörter passen zu den Themen?
Ergänze die Wortsterne.

Familie

Krankheit

Schule

Essen und Trinken

b) Mach weitere Wortsterne zu diesen Themen: Sport, Hobby, Tiere, Ferien.

K 4 Schulveranstaltungen

a) Ergänze und schreib die Zahlen unten auf:

1 im/Im **2** am/Am **3** um/Um **4** bis

Das sagt der Klassenlehrer: Schreibt bitte mit. Das sind die Termine (a) Mai:
Wie immer (b) Frühling machen wir einen Ausflug, (c) 6. Mai. Wir fahren in die Berge.
(d) acht Uhr fahren wir los. Wir wandern und (e) Mittag machen wir Picknick. Nachher
wandern wir weiter (f) 15 Uhr und fahren dann zurück. (g) 17. Mai ist das Sportfest. Das ist
ein Dienstag. Hoffentlich regnet es nicht. Dann ist das Sportfest (h) Donnerstag. (i) 20. Mai
(j) halb zehn gehen alle Klassen ins Theater. (k) Mittwoch, dem 25. Mai, kommt unsere
Partnerklasse. Sie bleibt (l) Freitag. So, das war's. Alles klar?

Rechenrätsel:

$$\underset{a}{\_\_\_} + \underset{b}{\_\_\_} + \underset{c}{\_\_\_} + \underset{d}{\_\_\_} + \underset{e}{\_\_\_} - \underset{f}{4} + \underset{g}{\_\_\_} + \underset{h}{\_\_\_} - \underset{i}{\_\_\_} - \underset{j}{\_\_\_} + \underset{k}{\_\_\_} + \underset{l}{\_\_\_} = 10$$

b) Schreib Fragen für deinen Partner auf ein Blatt: Wann ist … ? Um wie viel Uhr …?
Was ist am …? Tauscht die Blätter. Nun schreib die Antworten.

c) Und was ist bei euch an der Schule los? Schreib einen Brief an eine Partnerklasse.
Schreib so: Wir machen/haben am … Vergiss Ort, Datum, Anrede und Schluss nicht.

5 Kleine Geschichten

a) Finde drei Dialoge. Jeder Dialog hat drei Teile. Schreib A, B und C vor die passenden Teile.

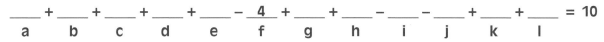

A Was machst du eigentlich in der Freizeit?

⚪ Wir fliegen nach Südamerika.

⚪ Wintersport mag ich gar nicht.

B Machst du gern Sport?

⚪ Ich fahre gern Rad. und ich lese viel.

C Wohin fährst du in den Ferien?

⚪ Ja, am liebsten Karate, aber auch Basketball und Schi fahren.

⚪ Was? Mit dem Flugzeug? Ich bin noch nie geflogen.

⚪ Wie langweilig!

b) Schreib die Dialoge in dein Heft.

c) Mach zusammen mit deinem Partner weitere Dialoge.
Beispiel: Isst du gern Obst? – Ja, am … Oder: Was machst du am Wochenende? – …

6 Was machen die Leute?

Schreib die Sätze in dein Heft. Ergänze die Wörter in der richtigen Form.

erklären • sagen • sprechen • erzählen • fragen • antworten • wiederholen

1 Meine Schwester ist erst acht Monate alt.
Sie kann noch nicht ✳.

2 Was hast du ✳ ?
Kannst du das bitte ✳ ?

3 „Wann ist die Klassenarbeit?", ✳ die Schüler.
„Am nächsten Freitag", ✳ der Lehrer.

4 Oma ✳ eine Geschichte.

5 Können Sie mir bitte die Aufgabe ✳ ?

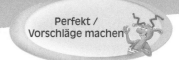

Perfekt /
Vorschläge machen

1 Die Partnerklasse kommt

1

Von : uli@planetino_drei.de

An : timo@planetino_drei.de

Hi Timo,

in vier Wochen kommt unsere Partnerklasse aus der Slowakei. Sie bleibt vier Tage.
Heute haben wir in der Schule diskutiert, was wir zusammen machen.
Einige Ideen haben wir schon, z.B. zusammen Unterricht machen (sie sprechen
nämlich schon ganz gut Deutsch!) oder ins Theater gehen. Aber wir müssen als
Hausaufgabe noch mehr Ideen sammeln. Die Hausaufgabe müssen wir am
Freitag abgeben.
Weißt Du noch etwas? Hast Du noch ein paar Ideen? Ich warte auf Deine Antwort.
Dein Uli

Schreib Timos E-Mail.

Schreib so: Macht doch … Geht doch … Ihr könnt doch zusammen …

Vielleicht könnt Ihr … Gibt es bei Euch …? Dann könnt Ihr doch …

2 Ich habe doch schon …

2   Schreib die Sätze in dein Heft und ergänze.
Beispiel: Du musst duschen. – Ich habe doch schon geduscht.

1 Du musst lernen.   4 Du musst mit dem Hund laufen.

2 Du musst die Zähne putzen.   5 Du musst den Brief schreiben.

3 Du musst das Hemd anziehen.   6 Du musst Klavier spielen.

K   3 Witz

1–3   ● (1) bitte. Möchtest du mich (2)?

◆ Aber das geht doch nicht.

● Warum? (3) ich dir nicht?

◆ Du bist lieb. Aber es geht nicht.

● Du machst einen (4). Ich bin (5) vier Jahre alt, aber …

◆ Es geht wirklich nicht!

● Findest du mich vielleicht (6)?

◆ Nein, aber ich bin schon verheiratet.

● So ein (7)!

Jede Zahl im Text ist ein Wort. Schreib die Zahlen. **Rechenrätsel:**

___ Fehler   +   ___ erst   +   ___ Pech   +   ___ Entschuldige = **17**

___ heiraten +   ___ Gefalle +   ___ unsympathisch   = **11**

4 Frage und Antwort

3 Antworte. Verwende diese Wörter:

---	→	nicht	etwas	→	nichts
immer	→	nie	ein/eine	→	kein/keine
jemand	→	niemand			

1 Haben Sie etwas verloren? – Nein, ich _____

2 Können Sie singen? – Nein, ich _____

3 Ist da jemand zu Hause? – Nein, _____

4 Fahren Sie immer Rad? – Nein, _____

5 Haben Sie einen Hund? – Nein, _____

K ## 5 Was passt zusammen?

3 Ordne die Antworten den Fragen zu. Schreib die Buchstaben unten auf.

1 Was lesen Sie gern?   *E* Tina: Ja, aber lieber Äpfel.

2 Was liest du gern?   *S* Jan und Jana: Ins Kino.

3 Isst du gern Birnen?   *G* Tim und Tom: Wir spielen Basketball.

4 Essen Sie gern Birnen?   *D* Herr und Frau Weiß: Krimis.

5 Wohin geht ihr heute?   *A* Herr und Frau Roth: Wir fahren Schi.

6 Wohin gehen Sie heute Abend?   *N* Frau Sand: Ja, sehr gern.

7 Was machen Sie am Samstag?   *I* Lea: Comics.

8 Was macht ihr am Samstag?   *T* Herr Huss: Ins Stadion.

Lösung: ____ ____ ____ ____ ____ ____ ____ ____
        1   2   3   4   5   6   7   8

**Lerntipp
zum Ankreuzen**

Das Verb bei der Höflichkeitsform
„Sie" ist wie bei ____ du
                    ____ ihr
                    ____ sie/viele
Kinder spielen gern.
_____ Sie auch gern?

6 Fabian und Frau Hase

3 **a)** Ergänze die Fragen.

du →   → Sie

du	Sie
Wie	Wie heißen Sie?
Woher kommst du?	Woher
Wo	
Was	Was machen Sie gern?
Wie geht es dir?	Wie

b) Antworte für Fabian. Schreib Sätze in dein Heft: Ich heiße …
Antworte auch für Frau Hase.

K **7 Domino**

4–5 **a)** Finde den Weg.

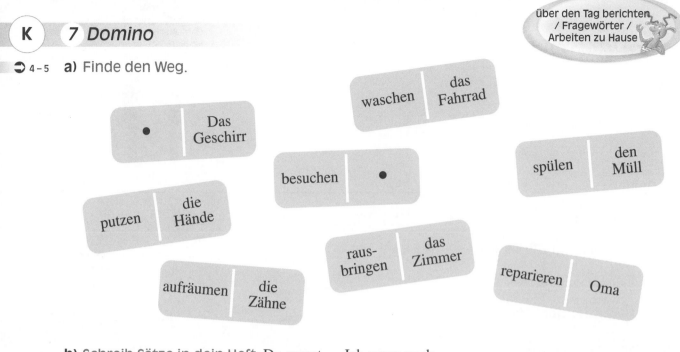

b) Schreib Sätze in dein Heft: Du musst … Ich muss noch …

8 Viele Sätze

4–5 Schreib zehn Sätze in dein Heft. Schreib *müssen* in der richtigen Form.

Am Morgen		ich	den Müll	putzen
Am Mittag		du	das Auto	kochen
Jeden Tag		der Hausmann	das Geschirr	waschen
Zweimal am Tag	(müssen)	die Hausfrau	die Schuhe	rausbringen
Am Wochenende		wir	die Zähne	reparieren
Heute		ihr	das Fahrrad	spülen
Morgen		man	Suppe	

9 Fragen

6–7 Ergänze die Fragewörter. Schneid aus (Seite 113) und kleb ein oder schreib.

1 _____ dauert der Film? — Von halb zwei bis drei.

2 _____ räumst du dein Zimmer auf? — Einmal die Woche.

3 _____ gibt es Frühstück? — Um acht Uhr.

4 _____ musst du Klavier üben? — Eine Stunde.

5 _____ musst du Jan wecken? — Um halb sieben.

6 _____ geht das? So? — Nein, das geht anders.

7 _____ hast du das Auto kaputt gemacht? — Ich habe gedacht, das geht nicht kaputt.

Lektion 53-56
Weißt du das noch?

1 Worttreppe

Mach eine Worttreppe in dein Heft. Schreib zu jedem Buchstaben ein Wort aus dem Thema „Freizeit" (Spielsachen, Sportarten, Hobbys).
Wenn du zu einem Buchstaben kein Wort findest, bleibt die Treppenstufe frei.

D

C

B

Auto

2 SMS und keine Antwort

1 Meine Katze ist krank. Sie hat gar keinen Hunger mehr.

2 Hi Tim und Tom! Wir sind im Schwimmbad. Wo seid ihr?

3 Hast du heute eine Klassenarbeit? Ich habe eine in Mathe.

4 Heute haben Evi und Uli Geburtstag. Bist du da?

5 Wir haben heute einen Ausflug. Aber ich habe gar keine Lust.

6 Meine Eltern sind heute bei Oma. Wir sind allein.

7 Heute ist doch Sportfest. Habt ihr keine Zeit?

a) Die Kinder haben auf ihre SMS keine Antwort bekommen. Also schreiben sie am nächsten Tag noch einmal. Schreib die SMS-Nachrichten in dein Heft. Schreib so:
1 Meine Katze war gestern krank. Sie …

b) Schreib auch Antworten auf diese SMS-Nachrichten in dein Heft.
Beispiel zu 1: Das tut mir leid.   Oder zu 2: Wir waren …

3 Zusammen und getrennt

an	auf	holen	fahren	geben	fangen	kommen
aus	ein	rufen	steigen	sehen	ziehen	passen
mit	zu	hören	wachen	kaufen	laden	packen
ab	her	bringen	machen	nehmen	spielen	gehen

a) Bild Wörter und schreib sie in dein Heft. Beispiel: abholen, aufmachen …
b) Schreib immer zwei Sätze mit den Wörtern – einmal zusammen und dann getrennt:
Ich kann dich abholen. Ich hole dich um eins ab.
Oder: Ich muss einkaufen. Ich kaufe Brot und Kuchen ein.

_____: Hier kannst du
der, das, die eintragen.

_ _ _ _ _ _: Hier kannst du die
Mehrzahl eintragen.

Themenkreis
Wir sprechen, hören, sehen fern

Lektion 53: Telefon, Handy usw.
Kursbuch Seite 58–59

spanisch
Regen, der (Sg.)
Wen?
frei sein
besetzt sein
einverstanden sein
Einverstanden.
wechseln

Lektion 54: Fernsehen und mehr
Kursbuch Seite 60–63

Fernsehen, das (Sg.)
Krimi, der, -s
Quiz, das (Sg.)
Frage, die, -n
halten
jemand
zurückkommen
allein
herunterladen
Bauchschmerzen, die (Pl.)
Computer, der, -
im Internet sein
ausmachen
Mensch, der, -en
Ach, Mensch!
Das ist mir egal.
Minute, die, -n
doch
etwas
Fotoapparat, der, -e

Lektion 55: Radio
Kursbuch Seite 65

Ausflug, der, ¨e

Lektion 56: Schülerzeitung
Kursbuch Seite 66–69

Wie oft?
diskutieren
unsympathisch
abgeben
sich entschuldigen
Pech, das (Sg.)
So ein Pech!
putzen
verlieren
erst
Fehler, der, _ _ _ _ _ _ _ _ _ _ _ _
Wie geht es Ihnen?
Sie (Anrede)
nie
gefallen
heiraten
Umfrage, die, -n
Hausfrau, _____, -en
reparieren
Geschirr, das (Sg.)
spülen
aufräumen
Müll, der (Sg.)
rausbringen
waschen
Wie lange?
wecken
anders sein
Frühstück, das, -e
denken

Das habe ich gelernt

hier falten

Vorlieben ausdrücken

Was _____ gern?

Was siehst du _____ ,

_____ oder _____ ?

Siehst du _____

_____

Ja, aber _____

Abenteuerfilme.

Nein, _____ Krimis.

Was siehst du gern?

Was siehst du lieber, Quiz oder Sport?

Siehst du gern Tierfilme?

Ja, aber lieber Abenteuer-filme.

Nein, lieber Krimis.

sich ärgern

Geh ins Bett! – Ach, _____

_____

Jetzt gleich! – _____ !

Ach, Mensch.

Mist!

über das Befinden sprechen

Wer fehlt heute? _____

Heute _____

Er ist _____

Er hat _____

Und sein _____

_____

Heute fehlt Tobias.

Er ist krank.

Er hat Ohrenschmerzen.

Und sein Hals tut weh.

Informationen über Personen erfragen

Woher kommen Sie?

Woher _____ ?

Wo wohnen Sie?

_____ wohnen _____ ?

Wie alt sind Sie?

_____ sind Sie?

Was machen Sie
in der Freizeit?

_____

_____ in der Freizeit?

Welchen Sport
machen Sie? Wohin

_____

_____ machen Sie? Wohin

fahren Sie in den Ferien?

fahren _____ in den Ferien?

Was ist Ihr Lieblingsessen?

_____ ist _____ Lieblingsessen?

☺ ☺ ☹

zu Hause arbeiten

helfen, Geschirr spülen,
Schuhe putzen,
sauber machen,
die Wäsche waschen,
den Müll rausbringen,
aufräumen, reparieren

helfen, Geschirr _____

_____

_____

_____

_____

☺ ☺ ☹

über den Tag berichten

wecken, aufstehen,
Zähne putzen, anziehen,
Frühstück, Mittagessen,
Abendessen,
ins Bett gehen

wecken, _____

_____

_____

_____

_____

_____

☺ ☺ ☹

Grammatik-Comic

1 Ergänze:

Wie alt bist du?		Wie alt _____ _____?
Hast du Zeit?		_____ _____ Zeit?
Wohnst du hier?		_____ _____ hier?
Ist das dein Fahrrad?		Ist das _____ Fahrrad?

2 Schreib die passenden Wörter von oben an die richtige Stelle im Comic.

Du bist aber schön!

Danke.

Sie _____ aber schön!
Evi, du musst „Sie" sagen. Du bist klein und die Frau ist groß.

Wohnst du hier?

Ja.

_____ Sie hier?
Du musst „Sie" sagen. Du bist klein und die Frau ist groß.

Hast du Kinder?

_____ Kinder?
Du musst doch „Sie" sagen! Du bist klein und die Frau ist groß.

Ist das dein Hund?

Ja.

Evi! Ist das _____ Hund!!!

Hallo, Hund!
Wie heißen _____?

Warum sagst du denn „Sie" zu dem Hund?

Na ja, ich bin doch klein und der Hund ist groß.

Wir!

Du kennst schon viele deutsche Wörter und Sätze.

jemanden kennenlernen

Wer _____ ?

Wie _____ ?

Woher _____ ?

Was _____ ?

eine Person beschreiben

_____ ist _____

_____

Seine Beine sind _____

_____

_____

Vorlieben ausdrücken

Ich mag _____

_____ gern.

Ich _____ am

_____ .

Mein _____

ist _____ .

gute Wünsche

Alles _____ !

_____ !

Gute _____ .

Gegenstände im Zimmer

Waschbecken, _____

_____

_____

_____

Lektion 57
Feriencamp International

jemanden kennenlernen / Fragewörter / Zeitangaben

1 Silvan aus der Schweiz

🔊 1–2

Das ist Jans Cousin. Er heißt Silvan. Er kommt aus der Schweiz, aus Bern. Er wohnt jetzt in Meissen. Sein Vater ist Ingenieur. Er muss jeden Tag zur Arbeit nach Dresden fahren. Silvan ist erst einen Monat in Deutschland. Er kennt hier noch niemanden, denn die Schule fängt erst am 25. August an. Silvan geht dann in die fünfte Klasse.

Stell Fragen zu dem Text. Hier sind die Fragewörter. Schreib die Fragen und die Antworten in dein Heft. Nimm jedes Fragewort einmal. Schreib so: Wer ist das? – Das ist …

Wer • Was • Woher • Wen • Wie • In welche • Wann • Wie lange • Wo • Wohin • Warum

2 E-Mail: Ausflug

🔊 1–2

An: │ basti@planetino_drei.de

Hi Basti,
wir machen am Freitag einen Ausflug zur Nussbaum-Hütte. Ihr wart doch schon mal da. Wie ist es denn da? Wie kommt man da hin? Wo geht die Wanderung los? Wie lange müssen wir wandern? Was kann man da machen? Gibt es da etwas zu essen? Welche Schuhe brauche ich?
Bitte schreib mir bald.
Deine Tina

Lies die Angaben im Prospekt und schreib Bastians Antwort.

WANDERUNG ZUR NUSSBAUMHÜTTE

Anfahrt mit dem Bus
Ausgangspunkt der Wanderung: Altdorf
Dauer: 2 Stunden
Freizeitangebote:
Basketball, Volleyball, Tischtennis, Schwimmbad;
Getränke und kleiner Imbiss möglich:
Würstchen, Suppe
oder Essen selbst mitbringen.
Wichtig: Wanderschuhe und Regenjacke mitnehmen!

K 3 Welche Antwort passt?

🔊 2

Mach Kreuzchen.

1 Wann ist deine Oma angekommen?

B	Zwei Tage.
W	Vor zwei Tagen.
N	Immer am Montag.

2 Wie lange bleibt deine Oma?

O	Bis morgen.
A	Bis gestern.
E	Bis jetzt.

3 Wann ist das passiert?

H	Noch eine Woche.
L	Eine Woche.
C	Vor einer Woche.

4 Wie oft gehst du schwimmen?

T	Vor zwei Tagen.
K	Am Samstag.
H	Jeden Tag.

5 Wann warst du in Spanien?

U	Ein Jahr.
E	Vor einem Jahr.
A	Zwei Jahre.

Lösung: ___ ___ ___ ___ ___
　　　　　1　2　3　4　5

K

4 Woher?

3–5

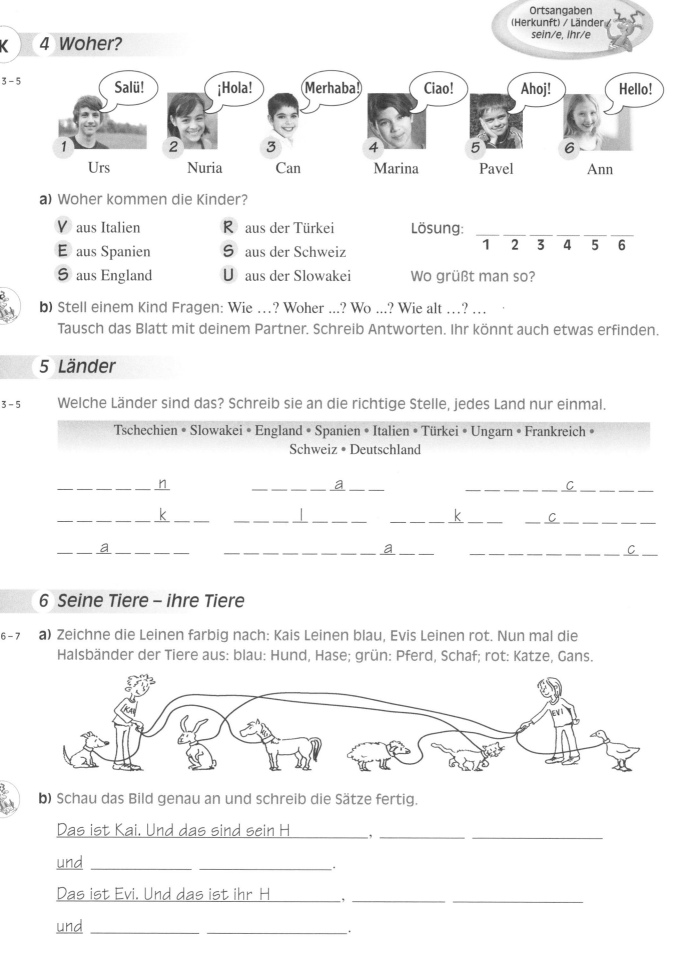

Salü! 1 Urs   **¡Hola!** 2 Nuria   **Merhaba!** 3 Can   **Ciao!** 4 Marina   **Ahoj!** 5 Pavel   **Hello!** 6 Ann

a) Woher kommen die Kinder?

V aus Italien	**R** aus der Türkei	**Lösung:** __ __ __ __ __ __
E aus Spanien	**S** aus der Schweiz	1 2 3 4 5 6
S aus England	**U** aus der Slowakei	Wo grüßt man so?

b) Stell einem Kind Fragen: Wie …? Woher …? Wo …? Wie alt …? …
Tausch das Blatt mit deinem Partner. Schreib Antworten. Ihr könnt auch etwas erfinden.

5 Länder

3–5

Welche Länder sind das? Schreib sie an die richtige Stelle, jedes Land nur einmal.

Tschechien • Slowakei • England • Spanien • Italien • Türkei • Ungarn • Frankreich •
Schweiz • Deutschland

_ _ _ _ _ _ n _ _ _ _ _ _ a _ _ _ _ _ _ _ _ c _ _ _ _

_ _ _ _ _ _ k _ _ _ _ _ l _ _ _ _ _ _ k _ _ _ c _ _ _ _ _

_ _ a _ _ _ _ _ _ _ _ _ _ _ _ a _ _ _ _ _ _ _ _ _ _ c _

6 Seine Tiere – ihre Tiere

6–7

a) Zeichne die Leinen farbig nach: Kais Leinen blau, Evis Leinen rot. Nun mal die
Halsbänder der Tiere aus: blau: Hund, Hase; grün: Pferd, Schaf; rot: Katze, Gans.

b) Schau das Bild genau an und schreib die Sätze fertig.

Das ist Kai. Und das sind sein H_____, _____ _____

und _____ _____.

Das ist Evi. Und das ist ihr H_____, _____ _____

und _____ _____.

7 Brief an die Großeltern

sein/e, ihr/e /
eine Person
beschreiben

> Köln, 24. Mai
>
> Liebe Oma, lieber Opa,
> gestern war doch mein Geburtstag. Alle meine Freunde waren da. Sogar meine
> Freundin Ulla aus Hamburg ist gekommen. Meine Mutter hat Pizza gemacht.
> Das ist mein Lieblingsessen. Und mein Hund hat die Pizza gefressen! Aber meine
> Torte hat gut geschmeckt.
> Liebe Grüße
> Eure Lisa

a) Oma liest den Brief. Opa möchte wissen, was in dem Brief steht. Oma erzählt.
Schreib auf. Schreib so: Der Brief ist von Lisa. Gestern war doch ihr Geburtstag …

b) Leon ist etwas Ähnliches passiert. Schreib Leons Geschichte. Diese Wörter helfen dir:

am Samstag • Freunde • Freundin Elsa aus Bremen • Lieblingsessen Würstchen mit
Kartoffelsalat • Hund

Schreib so: Am Samstag war Leons Geburtstag. Alle seine Freunde …

K   ## 8 Wie süß!

8

◆ Hi, Anne.
  Du, ich habe einen Jungen kennengelernt. Der ist so (a) ♥♥♥!

▲ Wie sieht er denn aus?

◆ Seine Haare sind lang und (b). Seine Augen sind (c) wie das Meer.
  Und seine Nase ist klein und so hübsch.

▲ Aha!

◆ Er ist groß und (d). Aber er ist nicht (e)!

▲ Woher weißt du das denn?

◆ Er kann ganz toll turnen. Und dazu muss man (f) sein.

▲ Ja, das ist richtig.

◆ Überhaupt ist er so (g). Er macht Turnen, Basketball und Surfen.

▲ Den möchte ich mal kennenlernen. Der ist bestimmt (h).

◆ Ich habe ein Foto auf dem Handy. Möchtest du mal sehen?

▲ Was? Das ist ja mein Cousin!

a) Jeder Buchstabe im Text ist ein Wort. Hier sind die Wörter. Schreib die Zahlen.

1 sportlich	**3** schwach	**5** blond	**7** süß
8 sympathisch	**2** stark	**4** schlank	**6** blau

Rechenrätsel: ___ – ___ + ___ + ___ – $\frac{3}{e}$ + ___ + ___ + ___ = 20
 a b c d e f g h

b) Schreib den Dialog richtig in dein Heft.

9 Wie sind die Leute?

8   Vergleich die beiden Personen.

pünktlich	_unpünktlich_
freundlich	_____
sympathisch	_____
sportlich	_____
glücklich	_____

Lerntipp zum Ankreuzen

Lern Adjektive wenn möglich mit dem Gegenteil.

freundlich → __ nett
                   __ unfreundlich

stark → __ schwach
         __ schlank

10 Fragen an dich

9   **a)** Ergänze die Fragen mit diesen Fragewörtern:

       Was • Woher • Wie (3 mal) • Welche (2 mal) • Wie lange

1 _____ ist dein Vorname?   _____

2 _____ ist dein Familienname?   _____

3 _____ ist deine Adresse?   _____

4 _____ kommst du?   _____

5 _____ ist dein Lieblingsfach?   _____

6 _____ lernst du schon Deutsch?   _____

7 _____ Hobbys hast du?   _____

8 _____ Note hast du in Mathe?   _____

b) Schreib jetzt die Antworten zu den Fragen.

11 Wortsuchrätsel: neue Wörter

1 - 9

U	N	S	P	O	R	T	L	I	C	H	S	O	Y	K
L	Z	I	N	T	E	R	N	A	T	I	O	N	A	L
I	P	L	R	W	O	S	M	H	L	X	N	J	D	S
E	Q	E	F	S	C	H	E	N	K	E	N	A	V	Z
B	C	U	L	O	P	R	S	U	R	F	E	N	I	G
E	S	T	Y	W	E	I	H	N	A	C	H	T	E	N
N	S	E	R	V	X	A	D	G	I	O	M	D	Q	S

Die Gruppe ist (1): Da sind junge (2) aus Spanien, Italien und der Slowakei. Olaf möchte (3) lernen, aber er ist total (4). Was kann ich Tina denn zu (5) (6)? Endlich regnet es nicht mehr, und die (7) kommt heraus. Wo ist Olaf? – Keine (8). Wir haben fünf Katzen. Wir (9) Tiere.

a) Welche Wörter passen in die Sätze? Finde die Wörter im Wortsuchrätsel.

b) Schreib die Sätze richtig in dein Heft.

Lektion 58
So wohnen wir

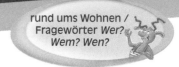

rund ums Wohnen /
Fragewörter Wer?
Wem? Wen?

K **1 Oma hat geschrieben**

➲ 1

Salzburg, 17. Juli

Liebe Lina,
Ich wohne jetzt in der (a). Hier ist es so (b)! Hier dürfen nämlich keine Autos
fahren. Wirklich (c)! Keine Autos, kein (d). Man kann spazieren gehen und
einkaufen. Es gibt (e) Geschäfte. Und (f) gefällt mir der Park. Er ist klein, aber
so grün. Grün ist doch meine (g). Ich bin so (h) hier. Du kannst mich doch mal
besuchen. Meine (i) ist groß (j).
Liebe Grüße   Deine Oma

a) Jeder Buchstabe im Text ist ein Wort. Hier sind die Wörter. Schreib die Zahlen.

1 Stress   **3** Altstadt   **5** gemütlich   **7** wahr   **9** überall

2 Wohnung   **4** Lieblingsfarbe **6** glücklich   **8** genug   **10** am besten

Rechenrätsel: ___ + ___ + ___ + ___ + ___ − ___ − ___ − ___ + ___ + ___ = 15
               a   b   c   d   e   f   g   h   i   j

b) Schreib den Text in dein Heft.

2 Wer? Wem? oder Wen?

➲ 1

a) Verbinde die Fragewörter mit den Satzteilen.

Wer   Wem   Wen

wohnt in Berlin?   gefällt die Altstadt?   besucht der Vater?

gehört das Buch?   ist heute krank?   fährt in die Stadt?

helfen die Kinder?   holt der Onkel ab?   lernt der Junge kennen?

b) Schreib die Fragen in dein Heft.

3 Familie Hofmanns Wohnung

➲ 2

Welche Zimmer sind das? Schreib auf. Zu schwer? Die Wörter unten helfen dir.

Nummer 1 ist das _____   Nummer 4 _____

Nummer 2 _____   Nummer 5 _____

Nummer 3 _____   Nummer 6 _____

Wohnzimmer • Schlafzimmer • Küche • Bad • Kinderzimmer • Balkon

4 Was passt nicht?

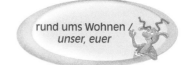

2

a) Ein Wort passt nicht in die Zeile. Streich das Wort aus.

1 Stühle – Tisch – ~~Spülmaschine~~ – Blumen
2 Tisch – Bett – Kühlschrank – Spülmaschine
3 Bett – Stuhl – Schreibtisch – Toilette
4 Schrank – Sofa – Fernseher – Waschbecken
5 Kühlschrank – Lampe – Schrank – Bett
6 Waschbecken – Dusche – Toilette – Sofa

Lerntipp zum Ankreuzen

Schreib Wörter auf Kärtchen und häng sie zu den passenden Sachen.

b) Wo findet man die Sachen? Schreib Sätze in dein Heft.
Beispiel: Auf dem Balkon gibt es Stühle, einen Tisch und Blumen, aber keine Spülmaschine.

5 unser – euer

a) Ergänze *euer/eure – unser/unsere* und die Tiere

Ist/Sind das …?	euer	_____	eure	_____
	Papagei	_____	_____	_____
Ja, das ist/sind	_____	unser	_____	unsere
	_____	_____	_____	Tiere

b) Ergänze *unseren/unser/unsere – euren/euer/eure* und die Tiere.

Wie findet ihr …?	unseren	_____	_____	_____
	Papagei	_____	_____	Tiere
Wir finden … nett.	_____	euer	_____	_____
	_____	_____	_____	Tiere

6 Weggeflogen!

a) Schreib den Zettel in dein Heft.
Ersetze ✳ durch *unser/unsere/unseren*.

b) Bruno und Katja Pisetta wohnen in der
Hauptstraße 8. Bruno hat Hansi gesehen.
Er ruft an. Schreib das Telefongespräch in dein Heft.

▲ Hier Karin ...   ● Hallo, hier …
▲ Ja bitte?   ● Ihr sucht doch euren …
                            Ich habe euren … gesehen.
▲ Wo denn?   ● Er ist auf unseren … geflogen.
▲ Und wo ist er jetzt?   ● Er … noch da.
▲ Wir kommen sofort!   ● Unsere Adresse ist: …

✳ Wellensittich ist weggeflogen. Er heißt Hansi. ✳ Hansi ist grün-gelb. Er kann sprechen. Wer hat ✳ Hansi gesehen?
Hier ist ✳ Adresse:
Karin und Günther Wiese
Blumenstraße 11,
Granstedt
Telefon: 0815-4711

7 Florians Morgen

○ 4 **a)** Lies den Text und ergänze die ▮▮ mit den fehlenden Buchstaben. Zu schwer?
Dann lies zuerst die Wörter.

Schon sieben ▮▮r! Florian st▮▮t schnell auf. Dann Z▮▮ne putzen und waschen. Er z▮▮▮t
Hemd und Hose an. Und jetzt die Schuhe. Was? Nur ein Sch▮▮? Wo ist der zweite? Keine
▮▮nung! Aber ▮▮ne Schuhe kann er doch nicht los! Was tun? Erst mal fr▮▮stücken.
Florian macht den K▮▮lschrank auf. Da ist ja der Sch▮▮! Wie ist der in den K▮▮lschrank
gekommen? Na egal. Schnell z▮▮▮t er ▮▮n an. Florian ist fr▮▮. Er g▮▮t zur Tür. Halt!
Er muss doch den Rucksack mitn▮▮men. Jetzt schnell das F▮▮rrad holen. Er f▮▮rt los.
Endlich!

> Zähne • Kühlschrank (2 mal) • froh • Uhr • Ahnung • zieht (2 mal) • ohne
> mitnehmen • steht • Fahrrad • Schuh (2 mal) • frühstücken • geht • fährt • ihn

b) Schreib den Text richtig in dein Heft.

c) Mach eine Tabelle in dein Heft.

ah	eh	ih	oh	uh	üh	äh	ieh

Schreib die Wörter aus dem Text in die Spalten und such weitere Wörter.
Schau auch in der Wortliste nach. Lies die Wörter laut.

8 Ein Ferienwunsch

○ 5–6 **a)** Finde drei Sätze.

Wir		Vielleicht	möchte	ich	nach Kanada.	kann
	fahren		wohnen		so gern.	
Das		in den Ferien			in einem Tipi	ich

b) In der richtigen Reihenfolge entsteht eine kleine Geschichte.
Schreib sie in dein Heft.

9 Besuch aus Australien

○ 7–9 Ergänze *euer/eure – unser/unsere*.

Tina und Thea sind Zwillinge. Heute kommt Tante Peggy aus Australien zu Besuch.

◆ Ist das _____ Zimmer? – ▲ Nein, _____ Zimmer ist das da.

◆ Wo sind denn _____ – ▲ _____ Schulsachen? Aber Tante
Schultaschen?   Peggy, wir haben doch Ferien!

◆ Wann haben denn _____ Ferien – ▲ Vor zwei Wochen. Aber _____
angefangen?   Ferien dauern sechs Wochen.

◆ Dann habe ich eine Idee: _____ – ▲ Nach Australien?
Tante nimmt euch mit.

◆ Nein, an den Bodensee. – ▲ Ach so!

Lektion 59
Aus aller Welt in Deutschland

1 Das bin ich

1 Mein Name ist Pierre Tonnar. Ich bin zwölf Jahre alt. Ich bin in Lausanne in der Schweiz geboren. Jetzt wohne ich in Saarbrücken. Das ist in Deutschland. Ich gehe ins Gymnasium, in die sechste Klasse. Ich spreche Französisch. Und ich lerne Deutsch und Englisch. Meine Hobbys sind Klavier spielen und Lesen.

a) Ergänze unten die Informationen aus dem Text.

Name: _____   Schule: _____

Alter: _____   Sprachen: _____

Land: *Schweiz* _____   Hobbys: _____

Wohnort: _____   _____

b) Stell dich selbst vor. Schreib einen Text wie oben in dein Heft.

K 2 Kreuzworträtsel: Länder

1

In (1) spricht man Englisch.

In (2) spricht man Italienisch.

In (3) spricht man Ungarisch.

In der (4) spricht man Türkisch.

In (5) spricht man Spanisch.

In (6) spricht man Tschechisch.

In (7) spricht man (8).

Löse das Kreuzworträtsel.

K 3 Was passt zusammen?

2–3 **a)** Ordne die Antworten den Fragen zu. Schreib die Zahlen.

a Was macht dir Spaß?   1 Mir.

b Mit wem spielt Lea Schach?   2 Der schmeckt mir total gut.

c Gefallen dir Jeans?   3 Schach spielen.

d Wem gehört die Jacke da?   4 Heute geht es mir gar nicht gut.

e Wie schmeckt dir Nudelsalat?   5 Birnen schmecken mir besser.

f Schmecken dir Äpfel?   6 Mit mir.

g Wie geht es dir?   7 Nicht besonders. Ich mag lieber Röcke.

Rechenrätsel: ___ + ___ + ___ + ___ − ___ − ___ − ___ = 6
              a   b   c   d   e   f   g

b) Schreib die passenden Fragen und Antworten in dein Heft.

4 Zusammensetzen

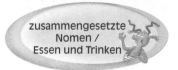
zusammengesetzte
Nomen /
Essen und Trinken

4 **a)** Welches Wort passt zu allen Anfangswörtern? Kreuz an.

　　　　　　　　　　　☐ Schule　　　　　　　　　　　　　　　　☐ Zimmer

1 Deutsch-, Sport-, Klassen-　☐ Schüler　　**2** Kinder-, Klassen-, Musik-　☐ Haus

　　　　　　　　　　　☐ Lehrerin　　　　　　　　　　　　　　　☐ Tasche

b) Welches Wort passt zu allen folgenden Wörtern?

1 ☐ Unterrichts-　　　　　　　　　　**2** ☐ Mathematik-

☐ Winter-　　Fach, Hobby, Sport　　　　☐ Fußball-　　Stunde, Heft, Lehrer

☐ Lieblings-　　　　　　　　　　　　　☐ Sport-

c) Schreib die zusammengesetzten Wörter in dein Heft.
Findest du noch weitere Wörter? Beispiel: Haus – aufgabe ...

K 5 Kreuzworträtsel: Essen

5

Löse das Kreuzworträtsel.

1 Kartoffeln, Tomaten und Salat sind ...

2 Der ist süß und kommt in Kaffee oder Tee.

3 Die kauft man in der Metzgerei.

4 Die macht man auf Brot und Brötchen.

5 Den gibt es zum Geburtstag.

6 Den isst man mit Pommes und Ketchup.

7 Die ist warm und mit viel Gemüse.

8 Die ist aus Italien.

9 Das kauft man in der Metzgerei.

10 Der ist oft grün. Oder man macht ihn aus Nudeln, Kartoffeln ...

11 Der schwimmt im Meer oder im See.

12 Das kauft man in der Bäckerei.

6 Fragen an dich

1–6 Beantworte die Fragen. Schreib Sätze in dein Heft.

1 Wo bist du geboren?

2 Lernst du erst ein Jahr Deutsch?

3 Wann gehst du nach der Schule nach Hause?

4 Hast du schon einmal Nudelsalat gegessen?

5 Was schmeckt dir besser, Pizza oder Hamburger?

6 Was schmeckt dir am besten?

Lektion 60
Feste und Feiern

Gute Wünsche /
Feste /
Zeitangaben

1 Viele gute Wünsche

1–2 **a)** Wie passen die Teile zusammen? Verbinde.

Herzlich	Guten	Frohe	Schöne	Alles

Weihnachten	Appetit	willkommen	Gute	Ferien
Glückwunsch	Besserung	Spaß	Wochenende	Glück

Viel	Schönes	Gute	Herzlichen	Viel

b) Schreib die zehn Wünsche in dein Heft.

2 Kleine Geschichten

1–2 **a)** Finde drei Dialoge. Jeder Dialog hat vier Teile. Schreib A, B und C vor die passenden Teile.

A Schon der 30. Dezember!   B Frohe Ostern!   C Wo ist denn Papa?

○ Hallo, Oma. Herzlich willkommen.   ○ Ja, ja, das Jahr ist fast schon zu Ende.

○ Also, ein gutes neues Jahr!   ○ Und jetzt Eier suchen!

○ Er holt Oma ab.   ○ Ich auch.   ○ Da kommen sie schon.

○ Ich habe schon zwei gefunden!   ○ Danke, Ihnen auch.

b) Schreib die Dialoge in dein Heft.

3 So ein Quatsch!

2 Schreib die Sätze richtig in dein Heft. Verwende   vor • nach • zu • zum

1 Vor dem Abendessen gehe ich ins Bett.

2 Man muss pünktlich nach dem Essen da sein.

3 Nach Weihnachten bekommt man Geschenke.

4 Zeugnisse bekommt man nach den Ferien.

5 Zu Ostern schreiben wir eine Klassenarbeit.

6 Nach Ostern sucht man Ostereier.

7 Vor der Schule gehe ich nach Hause.

8 Nach der Party muss man einkaufen.

9 Vor dem Unterricht gehen die Kinder nach Hause.

4 Wortstern: Feste

3 Ergänze den Wortstern.

Feste

5 Was passt da rein?

⟳ 4   Setz ein: sein   ihr   unser   euer
              seinen   oder   ihren   oder   unseren   oder   euren
              seine   ihre   unsere   eure

1 Ulla feiert _____ Geburtstag immer im Garten.

2 Jan trägt _____ Mütze jeden Tag.

3 Hi, Evi und Meike. Ihr geht doch Neujahr wieder Schi fahren.

   Kommen _____ Kusinen auch mit?

4 Uli und Tim sind bei den Großeltern. _____ Eltern sind im Ausland.

5 Wir haben einen Hund. _____ Hund heißt Nero. Das bedeutet „schwarz".

   Nero ist lieb. Aber er frisst manchmal _____ Kuchen. Das ist doof.

6 Olaf trägt im Karneval immer _____ Blumenhut und Emma

   _____ Clown-Hose.

7 Hallo Leo, hallo Lisa. Ist _____ Cousin aus Amerika schon da?

   Ich möchte _____ Cousin unbedingt kennenlernen.

8 Hallo Tina. _____ Hochzeit ist am 25. Juli. Wir möchten dich einladen.

9 Tobias ist heute angekommen. _____ Freund ist auch dabei.

10 Sieh mal, da ist Jana. Ist das _____ Freund?

6 Brieffreund/Brieffreundin gesucht

⟳ 4   Du hast diese E-Mail bekommen. Antworte Sofia. Schreib in dein Heft.

> Hallo, ich heiße Sofia und bin elf Jahre alt.
> Ich wohne in Kalamata. Das ist in Griechen-
> land. Ich lerne schon drei Jahre Deutsch.
> Meine Hobbys sind Tanzen und Basketball.
> Bald ist Ostern. Das ist toll. Ostern ist
> nämlich mein Lieblingsfest.
> Wer ist zehn bis 13 Jahre alt und schreibt
> mir auf Deutsch? Hoffentlich bis bald!
> poulopoulos@gx.gr

1 Wortsuchrätsel: Schulfächer

a) Finde zwölf Schulfächer.

b) Wie passen die Fächer zusammen? Schreib sie an die richtige Stelle.

D	A	S	P	O	R	T	H	K	L	T	Z	M
E	R	P	F	Y	C	H	E	M	I	E	D	A
U	S	H	F	G	N	X	N	A	L	K	O	T
T	B	Y	M	D	F	J	G	E	M	U	I	H
S	H	S	O	Z	I	A	L	K	U	N	D	E
C	B	I	O	L	O	G	I	E	S	S	T	M
H	Z	K	N	V	B	U	S	L	I	T	W	A
N	Y	E	X	Z	P	V	C	A	K	O	N	T
G	E	S	C	H	I	C	H	T	E	R	S	I
B	K	G	E	O	G	R	A	F	I	E	N	K

Ma _____

P _____

C _____

B _____

D _____

E _____

G _____

G _____

S _____

M _____

K _____

Sp _____

2 Die Einladung

a) Ordne den Dialog. Schreib die Zahlen 1 bis 11 vor die Teile.

○ Hallo Lea.

○ Klar, bring ✳ mit! Dann sind wir eben 26 Personen.

○ Und was sagen deine Eltern dazu?

○ Bist du das, Lilly? Ich höre ✳ ganz schlecht. Sprich bitte laut.

○ In Ordnung. Geht's jetzt? Ist dein Cousin schon da? Ich möchte ✳ beide zu meiner Party am Samstag einladen.

○ Ich will ✳ aber unbedingt kennenlernen.

○ Meine Mitschüler sind so nett. Da habe ich ✳ alle eingeladen.

○ Was? So viele?

○ Du kennst doch meinen Cousin gar nicht.

○ Na gut. Darf meine Schwester auch mitkommen?

○ Sie sind einverstanden.

b) Schreib den Dialog in dein Heft. Ergänze die ✳ mit diesen Wörtern:

ihn • sie (2 mal) • dich • euch

Wortliste

_____ : Hier kannst du
der, das, die eintragen.

Themenkreis
Wir!
Kursbuch Seite 71

Weihnachten, das, -
schenken
Ahnung, die, -en
Keine Ahnung.

Lektion 57:
Feriencamp International
Kursbuch Seite 72–75

international
junge Leute
Surfen (als Sportart)
Lieblingsessen, das, -
Lieblingsband, die, -s
sein/seine
ihr/ihre
Sonne, die, -n
lieben
schlank
stark
sportlich
sympathisch
blond
unsportlich
schwach

Lektion 58:
So wohnen wir
Kursbuch Seite 76–77

Stress, der (Sg.)
Altstadt, die, ¨e
Balkon, der, -s
Küche, die, -n
wahr
gemütlich
Lieblingsfarbe, die, -n
Sofa, das, -s
überall
Schrank, _____, ¨e
Lampe, _____, -n
genug
Wem?

am besten
Tisch, _____, -e
Stuhl, _____, ¨e
Kühlschrank, _____, ¨e
stehen (= sich befinden)
Spülmaschine, _____, -n
Schlafzimmer, das, -
Bad, das, ¨er
Wohnzimmer, das, -
Kinderzimmer, das, -

Lektion 59:
Aus aller Welt in Deutschland
Kursbuch Seite 80–82

geboren sein
besser
Türkisch (als Sprache)
Spanisch (als Sprache)
Deutschlehrerin, _____, -nen
Appetit, der (Sg.)
Guten Appetit!
Hamburger, der, -

Lektion 60:
Feste und Feiern
Kursbuch Seite 83–85

Hochzeit, _____, -en
Ostern, das, -
Frohe Ostern!
Ein gutes neues Jahr!
Frohe Weihnachten!
Herzlichen Glückwunsch!
Alles Gute!
Neujahr, das (Sg.)
bedeuten
tragen (Kleidung)
Viel Glück!
Ausland, das (Sg.)

Theater
Reise nach Planetanien
Kursbuch Seite 87–91

hoch
niedrig
rund
eckig
hell
dunkel
leise
möglich
unfreundlich
im letzten Moment
sauer sein
Ich bin ein bisschen sauer.
Stabfigurentheater, das (Sg.)

Feste im Jahr
Kursbuch Seite 95

Ehre, die (Sg.)

Das habe ich gelernt

jemanden kennenlernen

Wie _____ ?

Woher _____ ?

Wann _____

___ angekommen?

_____ bleibst du ?

Welche _____ ?

Was _____

in der Freizeit?

_____ gern Basketball?

Wie heißt du?

Woher kommst du?

Wann bist du angekommen?

Wie lange bleibst du?

Welche Hobbys hast du?

Was machst du
in der Freizeit?

Spielst du gern Basketball?

eine Person beschreiben

groß – _____

schlank – _____

stark – _____

sportlich – _____

sympathisch – _____

schwarz – _____

groß – klein

schlank – dick

stark – schwach

sportlich – unsportlich

sympathisch –
unsympathisch
schwarz – blond

Vorlieben ausdrücken

Wie _____ dir das Haus?

Das Haus _____ gut.

Wie _____ Pizza?

Pizza _____ gut,

aber Fisch _____

besser. Spaghetti _____

_____ am besten.

Wie gefällt dir das Haus?

Das Haus gefällt mir gut.

Wie schmeckt dir Pizza?

Pizza schmeckt mir gut,

aber Fisch schmeckt mir
besser.
Spaghetti schmecken mir am
besten.

gute Wünsche

Frohe Weihnachten!

Frohe Ostern!

Ein gutes neues Jahr!

Herzlichen Glückwunsch
zum Geburtstag!

Guten Appetit!

Gute Besserung!

Viel Glück!

Viel Spaß!

Frohe _____

_____

Ein gutes neues _____

_____

_____ zum Geburtstag.

_____ Appetit!

Gute _____ !

_____ Glück!

Viel _____ !

☺	😐	☹

rund ums Wohnen

Unser Haus ist klein,
alt und gemütlich.

Wohnung:
Balkon, Wohnzimmer,
Schlafzimmer,
Kinderzimmer, Bad,
Küche

Sofa, Lampe,
Spülmaschine,
Kühlschrank, Toilette

Unser Haus ist _____

_____

Wohnung: Balkon, _____

_____

_____

_____

Sofa, _____

_____

_____

☺	😐	☹

94

Grammatik-Comic

1 Ergänze: seinen/sein/seine oder ihren/ihr/ihre

Das ist/sind	_____ Mantel	_____ Hemd	_____ Hose	_____ Schuhe
Das ist/sind	_____ Hut	_____ Tuch	_____ Jacke	_____ Stiefel

Er hat ... verloren.	_____ Mantel	_____ Hemd	_____ Hose	_____ Schuhe
Sie hat ... verloren.	_____ Hut	_____ Tuch	_____ Jacke	_____ Stiefel

2 Schreib die passenden Wörter von oben an die richtige Stelle im Comic.

He, Paul!
Du hast deine Hose und
deinen Mantel verloren!

Nein, Paula hat _____ Hose und
_____ Mantel verloren.

Paula, ich habe dein
Kleid und deinen Hut
gefunden.

Nein, nein! Du hast _____ Kleid und
_____ Hut gefunden.

Warte mal, Paul!
Deine Schuhe und dein Pullover!

Nein, das sind _____
Schuhe und _____ Pullover.

Hä?

Und hier sind unsere Clowns:
Paul und Paula!

Reise nach Planetanien

Adjektive

K **1** *Kreuzworträtsel: Gegenteile*

A 2

a) Löse die Kreuzworträtsel. Schreib das Gegenteil.

1 schnell	**3** spät	**5** richtig	**7** lang	**13** besetzt	**20** unfreundlich
2 niedrig	**4** interessant	**6** kalt	**8** eckig	**14** klein	**21** intelligent
			9 alt	**15** schlecht	**22** dünn
			10 hell	**16** lustig	**23** unsportlich
			11 stark	**17** gesund	**24** geschlossen
			12 billig	**18** ganz	**25** unsympathisch
				19 leise	**26** unpünktlich

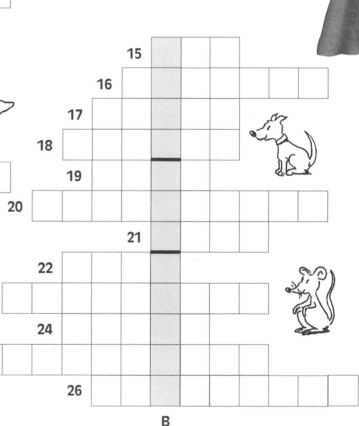

b) Lies die Lösungen A und B. Welche Tiere sind so?

Ein _____ ist A.

Eine _____ ist B.

2 Schau genau!

A2

Schau die Bilder genau an. Vergleiche. Schreib Sätze in dein Heft.

Schreib so: Die Uhr ist …

Die Uhr ist …

3 Eine Geschichte schreiben

A 3 Schreib die Geschichte „Eine Party im Weltraum".

1 Lies den Titel genau. Was fällt dir zu dem Titel ein?

2 Schreib zu diesen Fragen Stichpunkte auf. Du kannst dir selbst etwas ausdenken.
Wenn du keine Ideen hast, kannst du die Bildgeschichte unten anschauen.

<u>Wer</u> kommt vor?	<u>Was</u> machen die Personen?	<u>Was</u> passiert?
<u>Wo</u> sind die Personen?	<u>Wann</u> passiert das?	
<u>Wie</u> sind die Personen?	<u>Warum</u> passiert das?	

3 Denk dir Satzanfänge aus.
Beispiel: Heute • Gestern • Zuerst • Da • Dann • Nachher • Später • Am Schluss

4 Mach Sätze mit den Stichpunkten.
Aber Vorsicht! Pass auf, wie die Wörter im Satz stehen.
Beispiel:

Der Astronaut ⤫ macht eine Party.

Heute macht Der Astronaut eine Party.

5 Pass auf. Die Geschichte darf nicht durcheinander sein.
Vielleicht musst du die Sätze ordnen.
Denk auch an einen schönen Anfang und einen passenden Schluss.

Bildgeschichte: **EINE PARTY IM WELTRAUM**

TIPP
So kannst du
Texte schreiben:

1 ● Titel (oder Text) lesen und überlegen:
Was fällt mir dazu ein?
(Bei einer Bildgeschichte Bilder ansehen.)

3 ● Die sechs W-Fragen
(Wer? Wo? Wie? Was? Wann? Warum?) stellen und Stichpunkte notieren.

2 ● Satzanfänge überlegen und Sätze machen.

4 ● Anfang und Schluss finden.

Lesen

1 Felix und sein Tagebuch   (nach Lektion 43)

Samstag, 3. Juni
Mama hat mir ein Tagebuch geschenkt. Jetzt kann ich darin aufschreiben, was am Tag passiert ist. Alle Kapitäne machen das. Nur heißt es auf dem Schiff „Logbuch". Mein Vater ist Kapitän. Ich will auch Kapitän werden oder Tierarzt im Zoo, wie meine Mama.

Mittwoch, 7. Juni
Nach der Schule habe ich mit Max, Didi und Jörg Fußball gespielt. Mein Hund Sam wollte mitspielen. Er hat uns den Ball weggenommen und ist weggelaufen und wir hinterher. Das war lustig.

Donnerstag, 8. Juni
Ich bin krank. Meine Oma war da.

Montag, 12. Juni
Ich gehe wieder in die Schule. Paul und Klaus haben sich gefreut, dass ich endlich wieder gesund bin. Sie sind gute Freunde von mir.

Mittwoch, 14.Juni
Nach der Schule war ich im Zoo. Seit heute gibt es da auch Giraffen. Sie sind riesengroß und heißen Moritz und Edda.

Montag, 19. Juni
Gestern war ich mit Oma, Opa und Sam am Meer. Wir haben drei große Schiffe gesehen. Papas Schiff kann man noch nicht sehen. Er ist noch zu weit weg.

Freitag, 23. Juni
Heute war der letzte Schultag. Jetzt haben wir Ferien!

Freitag, 30. Juni
Hurra, Papa ist endlich wieder zu Hause! Er hat Geschenke aus Australien mitgebracht. Ich habe einen Bumerang bekommen!

nach Waldemar Drichel

a) Lies den Titel und den ersten Abschnitt. Nun lies die Fragen und mach Kreuzchen.

1 Was kann man in ein Tagebuch schreiben?   ☐ Nur das Datum.
   ☐ Alles, was passiert ist.

2 Wer kann ein Tagebuch schreiben?   ☐ Jeder.
   ☐ Nur Kapitäne.

> LESETIPP:
> Achte auf Wörter, die du schon kennst.
> Dann kannst du den Text besser verstehen.

b) Unterstreich im Text alles, was du verstehst.
Bestimmt verstehst du schon viel. Den Rest verstehst du dann sicher auch.

c) Zu welchen Textteilen passen diese Titel? Schreib das Datum dazu.

1 Am Meer   _____

2 Ein lustiges Fußballspiel   _____

3 Mein neues Tagebuch   <u>3. Juni</u>

4 Besuch im Zoo   _____

5 Wieder gesund   _____

6 Die Schule ist aus!   _____

7 Krank zu Hause   _____

8 Vater ist wieder da.   _____

> LESETIPP:
> Teil den Text auf. Gib den Teilen Titel.
> Das hilft dir beim Verstehen.

2 Der perfekte Ferientag   (nach Lektion 45)

Was sagt der Titel? Mach Kreuzchen.

LESETIPP:
Lies den Titel und überleg:
Was weiß ich schon zu dem
Thema? Dann bist du auf den
Text gut vorbereitet.

☐ Ein super Ferientag, besser geht's nicht.

☐ Ein Ferientag, langweilig und doof.

1 Von Theresa Stimpfle, München

Zuerst schlafe ich bis elf Uhr. Dann lese ich, bis mir die Augen wehtun. Nach dem Mittagessen gehe ich mit Nathalie Eis essen. Wenn ich noch Zeit habe, spiele ich mit Hannah, bis es dunkel wird. Und wenn ich ganz viel Glück habe, darf ich bei Hannah schlafen.

2 Matthias Meyer-Bender, Neuried

Ich möchte gern einmal nach Mallorca reisen, doch ich habe drei kleine Schwestern (8, 6, 2). Da geht das nicht. Mir ist hier aber nicht langweilig. Meistens sitze ich in meinem Schaukel-stuhl und lese ein Buch. Wenn die Sonne scheint, mache ich jedoch lieber Ausflüge, zum Beispiel in Wälder oder an Seen. Und wenn ich auf keins von beiden Lust habe, schreibe ich auch mal gern Geschichten!

3 Von Jennifer Planer, Nussdorf

Erst einmal möchte ich bis Mittag ausschlafen. Bei einem perfekten Frühstück mit frischen Brötchen, Marmelade, Wurst und Joghurt bespreche ich mit Mama und Papa den Tag. Jeder darf ein Ausflugsziel vorschlagen. Meine Vorschläge sind: Legoland®, Berge, Schwimmbad oder ein Ausflug mit dem Wohnwagen. Auch das Grillen darf an so einem Tag nicht fehlen. Wir entscheiden uns für eine Fahrt ins Legoland® mit dem Wohnwagen. Das ist ein Riesenspaß. Wir packen alles eilig ein. Tja, und Papa packt natürlich auch den Grill ein.

a) Schau die Bilder an. Zu welchen Texten passen sie? Schreib die Nummern.

b) Füll die Tabelle aus. Such die Informationen in den Texten. Mach Kreuzchen.
Oder mach ein **?**, wenn du die Information nicht im Text findest.

	Theresa	Matthias	Jennifer
schläft gern lang	X		
Lieblingshobby Lesen			
fährt gern weg			
hat Geschwister			
ist gern mit Freunden zusammen			
frühstückt gern lang			

LESETIPP:
Texte mit gleichem Thema
kannst du vergleichen.
Was ist gleich? Was ist anders?

3 Anzeigen   (nach Lektion 47)

Anzeige 1

www.fußballjugendreisen.de

Fußballfans aufgepasst!

Bist du Fußballfan? Und bist du 10 bis 14 Jahre alt? Wir bieten an: am 21. und 28. Oktober und an zwei Wochenenden im November Busreisen zu Bundesligaspielen im Norden. Abfahrt ab Hamburg, Bremen und Wolfsburg. Im Preis inbegriffen: Hin- und Rückfahrt und die Eintrittskarte. Bring deine Eltern mit. Es gibt Sonderpreise für Familien, zum Beispiel: Eltern und ein Kind von Hamburg nach Bremen 79.- EUR.

Lies die zwei Anzeigen aus der Zeitung. Lies nun die Aufgaben. Was ist richtig?
Mach Kreuzchen.

1 Das ist eine Anzeige für Fahrten
  a   mit dem Auto.
  b   mit dem Bus.
  c   mit dem Zug.

2 Was kann man besuchen?
  a   Fußballspiele.
  b   Basketballspiele.
  c   Familien.

3 Wo sind die Spiele?
  a   In Nordeuropa.
  b   In Süddeutschland.
  c   In Norddeutschland.

4 Der Preis ist
  a   nur für die Fahrt.
  b   nur für die Eintrittskarte.
  c   für Fahrt und Eintrittskarte.

5 Die Fahrt kostet 79 Euro für
  a   drei Familien.
  b   eine Familie mit drei Personen.
  c   eine Familie, egal wie viele Personen.

6 Wann sind die Fahrten?
  a   Im Sommer.
  b   Im Herbst.
  c   Im Winter.

Anzeige 2

1 Das ist eine Anzeige für
  a   Herbstferien in Deutschland.
  b   Sprachferien in England.
  c   ein Auslandsschuljahr.

2 Für wen ist die Anzeige?
  a   Für junge Leute.
  b   Für englische Familien.
  c   Für englische Schüler.

3 Wo wohnst du in den Ferien?
  a   Bei deiner englischen Freundin.
  b   In der Schule.
  c   In Banbury.

FERIEN UND LERNEN

Zwei Probewochen für einen Schulaufenthalt in England

Bist du 12 bis14 Jahre alt und lernst gern Englisch? Dann verbring deine Herbstferien in Banbury! Du wohnst bei einer englischen Familie und besuchst die Schule dort. Vielleicht bekommst du Lust auf ein Auslandsschuljahr. Informationen findest du im Internet unter www.ferien-und-lernen.de

4 Mehr Informationen bekommt man
  a   In der Schule.
  b   In England.
  c   Im Internet.

Lesen

4 Aus einer Jugendzeitschrift   (nach Lektion 49)

a) In einer Zeitschrift findest du zwei Texte über junge Leute in Deutschland und Österreich. Lies die Beschreibungen.

Beschreibung 1

Hallo, ich bin Dani. So nennen mich meine Freunde. Eigentlich heiße ich Daniel, Daniel Huss. Ich bin 14 und gehe in die achte Klasse des Mariengymnasiums hier in Stuttgart. Ich habe zwei Geschwister. Mein Bruder Tobias ist 16 und meine Schwester Sofia ist erst acht. Ich mag meine kleine Schwester. Aber manchmal ist es schwierig mit Sofia. Meine Lieblingshobbys sind Fußball und Computerspiele. Und sie möchte immer mitspielen.

Beschreibung 2

Ich heiße Elena Rodrigo. Ich bin 13 Jahre alt und komme aus Spanien. Aber ich wohne schon zwei Jahre in Wien. Mein Vater ist Informatiker. Er war in Spanien arbeitslos und hat in Wien einen guten Job gefunden. Österreich gefällt mir gut. Und ich spreche auch schon gut Deutsch, genauso wie mein Bruder Pedro. Überhaupt machen mir Sprachen Spaß. Ich möchte einmal Englischlehrerin werden.

b) Was ist richtig und was ist falsch? Kreuz an.

> **LESETIPP:**
> Lies zuerst die Aufgaben und dann den Text. Dann findest du leichter die gesuchten Informationen.

Beschreibung 1

1 Die Freunde nennen ihn Daniel.	richtig	~~falsch~~
2 Daniel wohnt in Stuttgart.	richtig	falsch
3 Daniel hat zwei Schwestern.	richtig	falsch
4 Daniel hat nie Probleme mit Sofia.	richtig	falsch
5 Sofia mag Computerspiele.	richtig	falsch

Beschreibung 2

6 Elenas Vater hatte keinen Job in Spanien.	richtig	falsch
7 Elena möchte Informatikerin werden.	richtig	falsch
8 Pedro hat keine Geschwister.	richtig	falsch
9 Familie Rodrigo kommt aus Österreich.	richtig	falsch
10 Elena mag Fremdsprachen.	richtig	falsch

5 Redensarten (nach Lektion 54)

a) Schau die Bilder an und lies die Redensarten. Was gehört zusammen? Verbinde.

1 Mich laust der Affe!

2 Du willst mir wohl einen Bären aufbinden.

3 Du machst aus einer Mücke einen Elefanten.

4 Das ist ja ein dicker Hund!

5 Wenn die Katze aus dem Haus ist, tanzen die Mäuse.

b) Lies noch einmal die Redensarten von Aufgabe a und dann die Aussagen.
Was passt zusammen? Schreib die Buchstaben auf.

R Die Eltern sind weg. Und schon machen die Kinder Quatsch.

S Na so was! Das ist doch nicht möglich!

P Das ist doch nicht wichtig. Und du machst so ein Theater!

U Du erzählst mir vielleicht Geschichten! Das kann doch nicht wahr sein.

E Das ist ja schlimm! Lösung: ___ ___ ___ ___ ___
                                                      1 2 3 4 5

c) Lies die Texte. Welche Redensarten passen dazu?
Schreib die Zahlen der Redensarten.

> LESETIPP:
> Lest Dialoge laut mit verteilten Rollen.

a ▲ Hast du das gehört? Olaf hat den ersten Preis beim
Fernseh-Quiz „Die Cleveren" gewonnen.

● Olaf? Im Fernsehen? _____

b ▲ Oje, oje! Ich habe meinen Bleistift verloren. Was mache ich denn jetzt? Ich kann doch
ohne Bleistift keine Hausaufgaben machen. Dann bekomme ich bestimmt eine Sechs!

● _____

c ▲ _____ Das ist Tina? Wie sieht die denn aus? Die hat doch immer so lieb ausgesehen.

● Und jetzt: die Haare rot, alte Jeans und Stiefel!

d ▲ Kommst du am Samstag? Ich mache eine Party. Meine Eltern fahren nämlich am
Wochenende weg. Ich bin allein mit meiner großen Schwester. Die muss auf mich
aufpassen. Haha! Die macht doch selbst mit.

● _____

e ▲ Stell dir vor, was Mario passiert ist! Er ist gestern mit dem Fahrrad in die Stadt gefahren. Er hat das Rad abgestellt und ist in ein Geschäft gegangen. Er hat eingekauft und
ist wieder rausgegangen. Da hat er gesehen, wie jemand mit seinem Rad weggefahren
ist. Mario hat gerufen, aber der andere war schon weg, mit seinem Rad!

● _____   Rechenrätsel: ___ + ___ – ___ + ___ – ___ = 5
                                                     a   b   c   d   e

d) Denk dir selbst eine Geschichte aus, die zu einer Redensart passt.

e) Gibt es in deiner Sprache die gleichen Redensarten oder ähnliche?
Erzähl in deiner Sprache.

Lesen

LESETIPP:
Lies den Titel und überleg:
Worum geht es in der
Geschichte?

6 Freund gesucht (nach Lektion 57)

a) Lies den Titel. Worum geht es in der Geschichte? Was meinst du? Mach Kreuzchen.

☐ Ein Freund ist weg. Man sucht ihn.

☐ Jemand ist allein und sucht einen Freund.

Micha und Anna sind neu an der Schule. Manchmal treffen sie sich auf dem Schulweg.

„Gefällt es dir in deiner Klasse?", fragt Anna.

„Ganz gut", sagt Micha. „Und dir?"

„Auch ganz gut. Nur …"

„Nur was?"

„Alle anderen haben Freunde. Nur ich habe niemanden."

„So ähnlich geht es mir auch", sagt Micha.

„Mama sagt, einen Freund muss man sich suchen.

Wir können ja gemeinsam suchen", schlägt Anna vor. Das machen sie eine Woche lang.

Aber sie finden keinen Freund für Micha und keinen Freund für Anna. Plötzlich lacht Anna.

„Ich glaube, ich habe einen Freund gefunden."

Micha ist traurig. „Muss ich jetzt allein weitersuchen?", fragt sie.

„Ach Quatsch!", sagt Anna, „wenn ich einen Freund hab, dann hast du auch einen.

Ich hoffe, es ist dir egal, dass es eine Freundin ist!"

Jetzt versteht auch Micha: Da haben sie überall nach etwas gesucht,

was sie längst hatten! *Ursel Scheffler*

LESETIPP:
Stell Fragen mit Wer? Was?
Wo? Wie? Warum? oder Wann?
(wenn möglich).
Das hilft beim Verstehen.

b) Lies die Fragen und unterstreich die passende Antwort
im Text. Beispiel: Wer ist neu an der Schule? <u>Micha und Anna</u>

1 Wo treffen sich Anna und Micha manchmal?

2 Wie findet Micha die Klasse?

3 Was finden Anna und Micha nicht so gut?

4 Wie lange suchen die beiden einen Freund?

5 Warum lacht Anna?

6 Warum muss Micha nicht weiter suchen?

7 Wie heißt Annas Freund?

7 Witze (nach Lektion 57)

1 „Hast du Tom gesagt, ich bin blöd?" „Nein, das hat er schon gewusst."

2 „Bastian, du hast ja wieder keine Hausaufgaben gemacht!", sagt der
Lehrer. „Und Susi, was ist mit dir?" „Na ja", antwortet Susi,
„wir machen unsere Hausaufgaben immer zusammen."

3 Peter hat ein Schwesterchen bekommen.

„Wie heißt es denn?", fragt eine Freundin.

„Keine Ahnung", sagt Peter. „Es kann noch nicht sprechen."

Zu welchen Witzen passen die Bilder? Schreib die Zahlen.

Vergangenheit

Wenn du ein neues Verb lernst, musst du
dazu auch seine Vergangenheitsform lernen.
Such das Verb in dieser Tabelle und ergänze
die Vergangenheitsform in der Spalte mit dem ✗.
Zu schwer? Dann schau in den Kästchen am Ende (Seite 108) nach.

Bei den blau geschriebenen Verben musst du *ich habe, du hast* … verwenden.
Bei den rot geschriebenen Verben musst du *ich bin, du bist* … verwenden.

	ge…-(e)t	ge…-en	ohne ge-	ganz anders
antworten	✗			
arbeiten	✗			
basteln	✗			
beginnen				✗
besuchen			✗ -t	
bezahlen			✗ -t	
bleiben				✗
brauchen	✗			
bringen				✗
duschen	✗			
erklären			✗ -t	
erzählen			✗ -t	
essen				✗
fahren		✗		
finden				✗
fotografieren			✗ -t	
fragen	✗			
frühstücken	✗			
gefallen			✗	
gehen				✗

	ge…-(e)t	ge…-en	ohne ge-	ganz anders
gewinnen				✗
holen	✗			
hören	✗			
kaufen	✗			
klettern	✗			
kochen	✗			
kommen		✗		
kosten	✗			
lachen	✗			
laufen		✗		
leben	✗			
lernen	✗			
lesen		✗		
lieben	✗			
machen	✗			
malen	✗			
putzen	✗			
rechnen	✗			
regnen	✗			
reiten				✗
reparieren			✗ -t	
sagen	✗			
sammeln	✗			
schenken	✗			
schicken	✗			
schlafen		✗		

	ge…-(e)t	ge…-en	ohne ge-	ganz anders
schmecken	✗			
schreiben				✗
schwimmen				✗
sehen		✗		
singen				✗
spielen	✗			
springen				✗
spülen	✗			
suchen	✗			
surfen	✗			
tanzen	✗			
treffen				✗
turnen	✗			
üben	✗			
verlieren				✗
verstehen				✗
wandern	✗			
warten	✗			
waschen		✗		
wecken	✗			
wiederholen			✗ -t	
wohnen	✗			
wünschen	✗			
zeichnen	✗			
zeigen	✗			

ge...-(e)t	ge...-en	ohne ge-	ganz anders
geantwortet, gearbeitet, gebastelt, gebraucht, geduscht, gefragt, gefrühstückt, geholt, gehört, gekauft, geklettert, gekocht, gekostet, gelacht, gelebt, gelernt, geliebt, gemacht, gemalt, geputzt, gerechnet, geregnet, gesagt, gesammelt, geschenkt, geschickt, geschmeckt, gespielt, gespült, gesucht, gesurft, getanzt, geturnt, geübt, gewandert, gewartet, geweckt, gewohnt, gewünscht, gezeichnet, gezeigt	gefahren, gekommen, gelaufen, gelesen, geschlafen, gesehen, gewaschen	besucht, bezahlt, erklärt, erzählt, fotografiert, gefallen, repariert, wiederholt	begonnen, geblieben, gebracht, gegessen, gefunden, gegangen, gewonnen, geritten, geschrieben, geschwommen, gesungen, gesprungen, getroffen, verloren, verstanden

Trennbare Verben

1 So entstehen trennbare Verben

a) Du kennst diese kleinen Wörtchen: ab • an • aus • auf • ein • mit • zu
Setz diese Wörtchen vor ein Verb, und schon entsteht ein neues Verb. Beispiel:

machen   mit + machen

Ich muss meine Hausaufgaben machen.   Wir spielen Karten. Möchtest du mitmachen?

b) Bilde neue Verben mit den kleinen Wörtchen und dem Verb *machen.*

auf   zu   mitmachen_____   _____

aus   mit   +   machen   _____   _____

c) Ergänze die Sätze: Es ist kalt. Du musst das Fenster _____.

Es ist warm. Du musst das Fenster_____.

Der Film ist zu Ende. Du musst den Fernseher _____.

d) Bilde neue Verben und schreib sie in dein Heft.

1 ab + holen, fahren, geben   **4** aus + sehen, ziehen, steigen
2 an + fangen, ziehen, rufen, kommen   **5** ein + kaufen, laden, packen, steigen
3 auf + passen, hören, wachen, räumen   **6** mit + kommen, bringen, spielen, gehen

2 Zusammen und getrennt

a) Du kannst die Wörter zusammensetzen.

Oft musst du diese Wörter auch wieder trennen:

Mit *können, müssen, wollen, dürfen* und *möcht-* bleibt das Verb zusammen.

Steht das Verb allein im Satz, musst du es trennen. Das kleine Wörtchen steht dann am Ende.

Wir müssen auf räumen.

Wir räumen auf.

b) Egal, wie lang der Satz ist, das Verb kommt ans Ende.

Egal, wie lang der Satz ist, das kleine Wörtchen kommt ans Ende.

Wir müssen das Zimmer auf räumen.   Wir räumen das Zimmer auf.
Wir müssen heute das Zimmer auf räumen.   Wir räumen heute das Zimmer auf.
Wir müssen heute noch das Zimmer   Wir räumen heute noch das Zimmer auf.
auf räumen.

c) Schreib Sätze. Überleg: Wann bleibt das Verb zusammen? Wann musst du es trennen?

1 Wir – mitkommen – nicht – können _____

2 mitkommen – Wir – nicht _____

3 Wir – einladen – euch – möchten _____

4 euch – Wir – einladen _____

3 Die Vergangenheit

a) Die zusammengesetzten Verben bilden die Vergangenheit so:

– wie das normale Verb, Beispiel: bringen → gebracht

– das kleine Wörtchen davor mit bringen → mit gebracht

b) Schreib in der Vergangenheit:

Beispiel: Wir <u>machen</u> die Aufgabe.

Wir haben die Aufgabe <u>gemacht</u>.

Wir müssen den Computer aus machen.

Wir haben den Computer aus gemacht.

1 Die Eltern spielen Schach.

Die Eltern _____

_____

2 Die Kinder wollen auch mitspielen.

_____

_____

c) Schreib die Vergangenheitsformen:

abfahren	abgefahren	aussehen	
abgeben		aussteigen	
abholen		einkaufen	
anfangen		einladen	
ankommen		einpacken	
anrufen		einsteigen	
anziehen		mitbringen	
aufhören		mitgehen	
aufpassen		mitkommen	
aufwachen		mitspielen	
ausmachen		zumachen	

d) So geht die Vergangenheit. Das kennst du schon:

1 Wir holen die Freunde ab. → Wir _____ die Freunde abgeholt.

2 Wir fahren gleich ab. → Wir sind gerade _____.

3 Wir müssen aussteigen. → Wir _____.

Material zum Schneiden und Kleben

Lektion 41, Übung 1

Lektion 44, Übung 4

Lektion 47, Übung 3

rechts	links	geradeaus	geradeaus und rechts

geradeaus und links	rechts und links

Lektion 49, Übung 1

Lektion 51, Übung 5

Lektion 56, Übung 9

| Wie lange | Wie lange | Wie oft | Warum |
| Wann | Wie | Um wie viel Uhr | |

⭐ DIPLOM ⭐

Liebe/r _____ !

Du hast jetzt viele Stunden mit „Planetino" Deutsch gelernt
und kannst schon soooo viel sagen und verstehen!

Wir sagen: Herzlichen Glückwunsch und weiterhin
viel Spaß mit Deutsch!

Plänötönö
Planetino

Deutschlehrer/in